門中眼——三部曲之二

Pat Barker
The Eye in the Door

派特·巴克——著
宋瑛堂——譯

獻給大衛

從道德的角度，從我親身的經歷，我體認到人性具有徹底而原始的雙重性；我認清的事實是，我個人意識裡有兩種本性，彼此相互抗衡，縱使有人說，其中一種本性是我的真性情，若這種說法屬實，只因我裡裡外外兩者皆是。

——《化身博士》，史蒂文森．羅伯特．路易斯

目錄

第一部 005
第二部 133
第三部 233
作者後記 309
導讀
你們認得我嗎？ 王新元 312
閱讀指南
閱讀《門中眼》 316

第一部

第一章

在倫敦海德公園，九曲湖畔線條井然的花床裡，早春鬱金香成行簇擁著，含苞待放。比利．普萊爾左瞧右看，看準其中一縱列，然後鬆開女伴的手，舉起一支無中生有的機關槍，把一整列的頭轟得落花流水。

麥拉看得目瞪口呆。「你這壞蛋，腦袋不正常。」

他感傷地搖搖頭。「去年在瘋人院蹲過五個月。」

「該走了。」

她當然不信。普萊爾面帶微笑，走回來，伸出手臂讓她挽著。兩人已沿湖漫步一小時，此刻下午近尾聲，斜射草地的紅銅光比較像秋陽，反而不像春日，將帶刺的玫瑰花莖映照成通電的電線，在暮色裡閃現微微紅光。

普萊爾一向在意旁人對他的觀感，現在意識到他與麥拉所經之處，遊人無不投以稱許的眼光。他猜，我倆在一起，大概景致浪漫動人吧。女孩青春嬌艷，依偎著身穿制服的軍人，而且軍人的長大衣髒破得不堪入目，顯然見證過不少戰事。確實，這件長大衣親臨的盛事很多，而且將來能體驗的盛事更多，只要普萊爾勸得動這個傻賤妞，叫她躺在長大衣上。

「怕妳冷，」他語帶柔情，解開長大衣的釦子。「伸手進來吧。樹下能避風，比較暖和，我們過去吧。」

她猶豫著，因爲湖邊的天色仍亮，而普萊爾指著的林蔭小徑瀰漫著晦暗。「好吧。」她久久之後說。

兩人踏過草地，細長的黑影落在前方，比他們早幾步抵達林蔭小徑，而且開始爬樹。在黝暗中，他們靠在樹幹上，開始熱吻。不久後，她嬌喘起來，大腿鬆弛了，普萊爾將她的背部壓向斑駁迸裂的樹皮，展開長大衣，包圍兩人。她的雙手溜進制服裡面，握住男臀，使勁把他拉過來。她想解開普萊爾的腰帶與褲釦，普萊爾幫她忙，讓她能騰出雙手，盡情把玩陽具與陰囊。他的兩手自下而上，緩緩探入裙底，已摸至粗糙褲襪與平滑肌膚的接觸點。「我們躺下吧？」

她舉起雙手，以形成障礙。「什麼？在這裡？」

「妳不會著涼的。」

「什麼鬼話？我現在就抖颼颼了。」爲了強調，她把雙手插進自己的胳肢窩，搖晃身子。

「好吧，」他的語氣轉爲剛強。「我們回公寓去。」普萊爾想避免回公寓，因爲他知道房東太太在家，怕被她監視。

她不正眼看普萊爾。「不要，我最好還是回家算了。」

「我送妳一程。」

「不要，我寧願在這裡說再見，希望你別介意。我婆家和我家只間隔五戶。」

「妳那天晚上卻積極得很。」

麥拉以微笑息怒。「是這樣的，那天有個女人過來東張西望的。不就是義警嘛。他們想進誰家，連問都不必問，直接就進去，想翻什麼東西都行。而且啊，這一個是一條老母牛。我在戰前就認識她了。她最支持女權了。我問她：『那我的權利呢？難道我不是婦女？』可是，跟他們爭破嘴也沒用。他們有終止津貼的權力。更何況，艾迪在前線，做這種事不太對吧？」

普萊爾以明快、權威的口吻說：「上星期五晚上，他不也在前線？」他聽見自以爲是的調調，也看見自己慌忙扣好褲襠，以維護中產階級的道德心。這像什麼話？他寧可不上這妞，也不願被中產道德糾纏。「走吧，」他說，「我陪你散步去車站。」

他邁步走向蘭開斯特門區，不顧麥拉是否跟上。她匆匆來至身邊，上氣不接下氣。「朋友總還做得成吧，我們？」

他感覺到對方的目光落在自己臉上。

「不能嗎？」

他停下來，轉身面對。「麥拉，像妳這種女孩，最常被褲襪勒住脖子，被丟進排水溝。」

普萊爾放慢步伐，走了幾步，她悄悄伸手挽著他的手臂，他猶豫片刻後任其逗留。

「你有女朋友嗎？」她說。

內心掙扎幾秒。「有。」

她點點頭，神態滿足。「我就知道。愛騙人的小混球一個。星期五晚上，你才說你沒有。」

「星期五晚上，妳和我都講了一大堆。」

來到地下車站，他替麥拉買車票，麥拉引頸吻他的臉頰，裝得若無其事。他心想，哼，的確是什麼事也沒發生過。走進柵欄後，麥拉轉身，看似有幾分惋惜，也許惋惜的是今晚事與願違，但她舉手輕揮一揮，踏上移動樓梯，被徐徐帶走。

出站時他遲疑著。漫漫長夜在眼前，他爲找不到事情可做犯愁。他考慮去喝一杯，想想便作罷。入夜才不久，而且以這種心情去喝酒，肯定灌到醉，他恐怕癡到正事；明天他要去監獄一趟，頭腦非清醒不可。他漫無目標遊走著。

市街正漸漸熱鬧起來，人們快步進餐館、酒吧，盡力忘卻物資短缺、縮衣節食、灰土土的麵包。整個冬季下來，普萊爾覺得，一陣愈來愈狂熱的風氣滲入倫敦人的生活。理由當然不難解釋。軍人放假返鄉，不盡興玩一玩，那怎麼行？怎能讓軍人想到收假之後的現實？而這理由給了大家一個堂皇的藉口，索性把戰爭的事拋向九霄雲外。

不巧的是，這星期不想起戰事也難。陸軍元帥黑格於四月十三日頒布當今令（Order of the

Day），全文披露於各家報紙。普萊爾熟悉到能默背。大家都能。

我軍已別無他法，唯有殊死戰一途，每一據點必須戰到最後一兵一卒，不容輕言撤退。在背水一戰之時，我軍深信此戰之正當性，全體士官兵必須奮戰至最後一刻。

撇開對陸軍士氣的影響不談，這份軍令倒是為老百姓製造普遍的恐慌。據說，有些婦女正認眞計畫著，在德軍壓境之際，她們打算帶小孩一同尋短。開戰最初幾個月傳來的慘絕人寰事跡已深入人心。太深入了。修女的乳房遭切除。修士被倒吊在鐘裡當成鐘錘來敲鐘。慘絕人寰的事實並非沒有，但受害人總以戰俘為主，歉疚感不如新聞界推測的族群來得集中。

有些時候——例如今夜——普萊爾一見到、聽到、嗅到老百姓，就感到反胃。他想起一種氣味：整營弟兄從前線行軍回來，散發著一股強烈的懦夫惡臭，而那種臭氣比這裡的氣息宜人多了。他知道他非遠離塵囂不可，遠離吱吱喳喳的人群，避開女人路過時刺鼻的香水味。

回到公園裡，他走在樹下，心情開始鬆懈。也許是知覺受到需求的渲染吧，他覺得春夜的公園裡肉慾澎湃。在夕陽的烘托下，一名軍人與女友正在散步，兩人卿卿我我，靠得很緊，假使其中一人走掉，另一人肯定跌倒。此景令他想起自己與莎拉同遊蘇格蘭海濱的那天，於是他猛然掉頭走開。沒必要想那件事。至少再過六星期，他才有希望與莎拉重逢。再往前走向大理石拱門，人影變得孤單，軍靴踐踏搓磨著步道，靴底在最黑的陰影裡激盪火花。

他在長椅上坐下，點菸，仍在考慮如何度過今晚剩餘的時光。他需要性愛，需求孔急。打手槍沒用，因爲……因爲沒用。妓女也不行，因爲他不買。記得在奎葛洛卡戰時醫院——去年他在這間「瘋人院」度過五個月——他曾告訴主治醫師瑞佛斯，法國亞眠有間妓院，基層兵排隊等著進去，人龍排到人行道上，每人限時兩分鐘。瑞佛斯當時問：「軍官能玩多久？」普萊爾回答：「我不知道。不只兩分鐘。」接著，普萊爾以鄙夷的口吻說：「要付錢，我不玩。」瑞佛斯無疑認爲此言傻氣相當重，是小伙子自詡爲情聖的荒唐傲氣，自信有能力免費「上」。但事實並非如此。普萊爾不肯付錢尋歡，是因爲幾年前他一度是收錢的對象，而他完全清楚付錢者的那副嘴臉。

「借個火吧？」

普萊爾一聽，反射動作是拍拍口袋。起初，他幾乎沒意識到講話者的存在，只覺得思緒受干擾而不悅，但在他取出火柴的當兒，他不覺然意識到對方的語調緊張，所以他抬頭看。他原本想整盒借他，現在卻改變主意，取出一根，替對方點火。火柴「沙」的一聲冒火，非常響亮，普萊爾以雙手包圍火苗伸過去，對方則彎腰湊近。對方戴著軍官大盤帽，眼珠深褐色，嘴唇四周有一圈薄薄髭鬚，臉孔呈圓形，但人並不肥胖。普萊爾確定自己認識他，卻記不起在哪裡見過。香菸點燃後，對方沒有馬上走，抽回身子之後移坐長椅另一端，四面八方隨眼看看，相當突出的喉結在喉嚨裡抽動。這人的左腿伸向前，角度彎扭，大致解釋了他衣袖上的戰傷勳帶。

普萊爾看得出問題癥結。這一區雖在交界處，卻不盡然適合，而普萊爾自己的舉止固然耐人尋味，卻也缺乏明確的誘人之意。他本想吊吊對方的胃口，但他反而挪過去說：「你有地方可以去嗎？」

「有。」男子抬頭。「離這裡不遠。」

廣場上有幾幢高而窄的民房，裡面無燈火，中庭是一片有圍牆的草坪，上面種了幾株頭大腳細的樹，草坪與周圍的花床雜草叢生。再往前走幾步，右邊是砲彈肆虐過的災區，三棟全毀，一棟半毀，在民房之中形成一大空格。兩男走過去，話不多，來到災區，人行道上的砂石變多，鞋底踩出沙沙聲，被炸毀的房舍大撒粉塵，撒得遍地慘白，災區圍牆建得再仔細，粉塵似乎也有辦法隨地散落。普萊爾一面走，一面留意到一股牽引力從側面襲來，將他拉向受災戶。以前途經其他災區，普萊爾也曾有相同的感受。這種側向牽引力究竟是他個人獨特的感受，或者別人也有同感，他並不清楚，只知一遇到傳統秩序慘遭摧殘的地方，他就越想親近。

他們停在二十七號的民宅前。窗戶全被封死了。地下室階梯上有一隻貓，拱背豎毛，對著牠發現的東西低吼。

普萊爾甫認識的男子想開鎖，卻一直打不開。「被波及了。」男子回頭說，擺出苦瓜臉，然後以肩膀頂門，握住門把往外拉。「用拉的，才拉得開，我老是忘記。」

「希望你不太常忘記才好，」普萊爾說。

男子轉頭微笑，兩人之間的情慾引力霎時再揚升。男子摘下帽子，脫掉長大衣，伸出另一隻手接過普萊爾的衣帽。「家人下鄉了。我在俱樂部過夜。」男子遲疑片刻。「我最好自我介紹一下。我名叫查爾斯．曼寧。」

「比利．普萊爾。」

兩人在暗地裡打量對方。曼寧的頭形非常圓，濃密油亮的黑髮向後梳，不分邊，使得圓頭更加渾圓。他的眼神警覺，近似某種野生動物，普萊爾心想，大概像水獺吧。曼寧眼中的普萊爾是金髮瘦男，二十三、四歲，鼻子粗短，頰骨凸出，整體給人一種輕手躡足度過人生順逆的印象。曼寧推開左邊的一道門，一股死氣飄進走廊。「你先進去吧。我待會兒就來。」

普萊爾進門。高窗的窗板緊閉，家具全以白布覆蓋，閒置的壁爐散發濃厚的煤灰味。唯一不被防塵布遮住的家具是門內的一面長鏡子，與走廊的鏡子相互映照。普萊爾不知不覺凝視著鏡子裡的無盡長廊，看見無數個普萊爾，有幾個背對著他，各個顯得虛虛實實。他脫離鏡子的範圍。

「要不要來一杯？」曼寧在門口問。

「好，麻煩你。」

「威士忌可以嗎？」

「行。」

他走後，普萊爾走向平臺式鋼琴，掀開防塵布一隅，看見一幀相片，相片裡是一位女子帶著兩個小男童，其中一人把小帆船摟在胸前。

曼寧回來了，端著一瓶威士忌、一壺水、兩只酒杯，普萊爾注視著門上方的一道裂縫。「看起來有點危險。」他說。

「是啊。說實在話，我不太曉得該怎麼辦。現在想找工人也找不到，我只好每隔幾天過來看一看。」他舉起水壺。「要不要加水？」

「一點點就好。」

兩人走向壁爐旁的椅子，曼寧扯掉防塵布，普萊爾坐下，背靠著僵硬的錦緞。錦緞非但絲毫不塌垮，還將他的背撐得挺直。兩人開始對話，宛如剛在軍隊食堂結識。普萊爾仔細看著曼寧，留意到十字勳章飾帶、戰傷勳帶、抽動的肌肉、緊張的跡象、間歇出現的口吃。曼寧的心情不甚安定，但旁人難以判斷緊張的成分有多少，能確定的是他把場面搞得有點僵。照這樣下去，即使殺完整瓶威士忌，聊到半夜，仍只能觸及制式的閒聊。閒聊也無妨，普萊爾心想，但不符合我來這裡的目的。他注意到曼寧的視線雖然四處流轉，最後總飄回普萊爾衣袖上的小星星。他在心裡嘀咕：哼，**你明明知道我是軍官**。有一種人碰到同一社會階層的對象時，在房事方面放不開——實在放不開。他漸漸懷疑曼寧屬於這一型。普萊爾嘆氣站起來。「我想脫制服，你不介意吧？」他說。「我覺得滿熱的。」

他其實不熱。套用他剛學到的生字，他覺得抖颼颼，快冷死了。再冷也不管。他解開領帶，脫掉制服與襯衫，扔向椅背掛著。曼寧不語，只是觀望著。普萊爾伸手抹著自己的平頭，抹到頭髮沖天直豎。他點菸抽著，以獨特的方式叼在下唇，微笑著，蛻變爲曼寧心目中適合打炮用的勞工階級男孩。變成一種接精液用的痰盂。果然應驗了。曼寧的瞳孔擴張，眼神暗沉，普萊爾彎腰，一手伸向他的大腿之間，頓時心中一陣刺痛。他心想，一輩子大概從未體驗過更精純的階級敵對感。他以粗獷的口音說：「要嗎？」

「好。我們上樓去。」

普萊爾跟著走。來到二樓，有一道門沒關，裡面是寬廣的臥房，擺著一張雙人床。曼寧過去把門關好。普萊爾淡淡笑著，以土腔暗罵著，這一張是他用來讓新娘落紅的床，他才不肯讓你躺上去，所以一直走，一直走，媽的，走個不停。最後來到的地方明顯是僕役專用區。曼寧在走廊盡頭推開一道門，把油燈遞給普萊爾，說：「我馬上回來。」

普萊爾入內。小小的房間裡擺著一張雙人床，黃銅床架，幾乎占據整間的樓板。他坐在床緣，試試彈性。有可能是他碰過最吵雜的一張床。謝天謝地，屋內沒有旁人。除了這張床之外，房間另有一座洗手臺，擺著一壺與一盆。有一張擺著鏡子的小桌，一個掛著布幕的衣櫥。他起身拉開布幕，裡面掛著兩套女傭制服，袖子與帽子的擺設之整齊，簡直像女傭本人站在衣櫥裡。衣櫥飄出一股氣味，混合著薰衣草香與汗酸，是一種令人感傷的味道。普萊爾的母親早年幫傭，服務的民房正像這一間。他環視這間冰冷如小箱子的臥房，窗外可見鄰居屋頂，這時一股衝動突如其來，他取出一套制服，把臉埋進胳肢窩，猛嗅汗味。這股衝動無關性事，卻也源起於同樣深層的心性。曼寧回房時，普萊爾正好抬頭，見普萊爾抱著女傭服，曼寧明顯有喪氣的神態。普萊爾微笑，把制服掛回衣鉤。

曼寧把一小罐物品放在床頭桌上，玻璃罐碰觸木桌的聲響拉近兩人的距離，讓兩人的關係緊繃到前所未有的程度。普萊爾脫光衣服，上床躺下。曼寧的腿傷很嚴重。非常嚴重。普萊爾靠過去檢查他的膝蓋，剎那間兩人宛如操場上的孩童，相互查看對方的傷疤。

「看樣子，你回不了戰場了。」

「大概吧。原因是肌腱縮短了。醫生認爲，我的動作最多只能這樣。話說回來，誰曉得呢？這場仗照這樣再打下去，有誰能免役呢？」

普萊爾打直身體，既然頭已經來到附近，臉便開始磨蹭曼寧的陰毛。曼寧的陽具振作起來，被普萊爾含住，但即使陽具入口，普萊爾也不急，以舌頭順著水亮的圓頂撥弄，一圈又一圈，逗弄許久。曼寧的大腿綳緊。一陣子後，他伸過一隻手來，撫摸普萊爾的平頭，拇指按摩著普萊爾的頸背。普萊爾抬頭，看見曼寧一副緊張樣。緊張有理，因爲在這種狀況下，最容易觸發暴力的正是溫柔的舉動。而憑曼寧的身體狀況，曼寧無法招架暴力。普萊爾繼續吮，雙手握住曼寧的臀部，嘴巴在陰莖急上急下。曼寧輕輕將他推開，躺上床，兩人並肩仰躺片刻，普萊爾翻身，以手肘支撐上身，另一手開始愛撫曼寧的胸膛、腹部、大腿，思忖著，想以「某某人把什麼東西塞進哪裡」來概述性愛，是多麼不可能的一件事啊。他這隻手的動作包含肉慾，包含憎恨——恨曼寧專挑這間臥房來辦事，也包含他對戰傷的同情，更包含嫉妒——因爲曼寧光光榮榮脫離戰場……普萊爾也逐漸意識到，在他望著曼寧的同時，曼寧也一直望著他。普萊爾的神態剛硬起來。他心想，哼，至少我抽搐的情況沒你那麼嚴重。愛撫的一手停在曼寧的腰，想將曼寧翻身，卻受到曼寧抗拒。「不要，」他說。「這樣躺就好。」

混帳，運動細胞眞發達。普萊爾旋開罐蓋，挖凡士林，混合自己的唾液，塗抹在陽具上，擦拭剩餘物在對方的肛門。他將曼寧的雙腿提至胸部，動作萬分小心，以免扭到膝蓋。普萊爾太急躁了，而這體位難以控制，掙扎片刻才插進一吋，這時曼寧哎喲一聲，試圖抽身。普萊爾開始撤退，接著突然領悟到，曼寧不痛不過癮。「別動。」他說，繼續抽插。這是一場危險遊戲。普萊爾做得出眞正殘虐的舉動，他自己也知道，而傷膝近在一吋以外。他的高潮來得快，酣哼聲從心底抖出來，感覺像身心被人從喉嚨裡拉扯。他謹愼放下曼寧的腿，以口結束曼寧。曼寧猴急得很，幾乎是在普萊爾開始動作之前，就猛抓住普萊爾的頭喘氣。「來得正是時候，」他結束之後說，「我正需要大幹一場。」

你們都一樣需要，普萊爾心想。曼寧進浴室。普萊爾伸手將鏡子轉過來。每天清晨五點半，不分冬夏，傭人照著這面鏡子打呵欠，睡眼惺忪，檢查帽子是否戴正，頭髮是否服貼。他記得母親曾說，在她幫傭的人家裡，如果女傭在走廊碰到主人家任何一人，照規定要面壁。

曼寧帶著威士忌酒瓶與酒杯回來。他跛得厲害。儘管普萊爾謹慎行事，剛才的體位對傷膝必定有害無益。

「在哪裡受的傷？」普萊爾問。

「帕宣岱爾（Passchendaele，位於比利時西北部，該地一九一七年夏秋曾發生死傷數十萬人的戰役）。」

「喔，對。你們當時想進攻山脊嗎？」

「沒錯。」曼寧斟完酒，在床尾坐下，背靠著床架，伸出左腿。「打得很盡興。」

普萊爾說：「我剛見過醫評會。」他不願提及自己的病況，但他也無法扔下這話題不談。碰到這種情況，曼寧應順勢發問卻不吭聲，令普萊爾的慍火漸旺。

「他們怎麼說？」曼寧問。

「還沒裁決。終身國民兵吧，我猜。不過，照目前的情況來看……」

曼寧遲疑一會兒才問：「應該是神經衰弱症，不是嗎？」

普萊爾想說，錯，應該是莽撞廝殺躁症，遇到膝蓋受傷的勢利眼時，特別渴望殺人分屍。「不對，是氣喘症，」他說。「我本來有神經衰弱症，不過後來住院，氣喘發作兩次，所以有點混淆。」

「你住的醫院是哪一所？」

「奎葛洛卡。在北方的——」

「啊，那你一定認識瑞佛斯。」

普萊爾凝視著。「那時候他是我的醫生。現在還是。他……他目前住倫敦。」

「對，我知道。」

壓著明顯的問題不問的人輪到普萊爾。

「你還在休病假嗎？」曼寧停頓片刻之後問。

「不，我在軍火部上班，被分配到……」他望著曼寧。「難怪我覺得似曾相識。就是在軍火部見過你。」

曼寧微笑，但不悅之情至爲明顯。「幸好我沒自稱『史密斯』。我倒是考慮過。」

「想報假姓的話，應該先把走廊桌上的信收走。收件人不是『史密斯』。」普萊爾低頭看著酒杯，不願繼續在內心掙扎。「你怎麼認識瑞佛斯？」

曼寧微笑。「他也是我的醫生。」

「彈震症？」

「不是。不盡然是。我……呃……我被警察帶回警察局。差不多兩個月前的事了。不算是被逮個正著，不過……對方是個小伙子，一到警察局就消失了。就這樣。」

「後來呢？」

「大家就坐著等。沒人做出什麼討厭的舉動。我請人通知我的律師，最後他終於來了，警察才放我走。戰傷有作用。勳章也有作用。」他直直望著普萊爾。「關係也有作用。你可別動不動鄙視我喔。我不是呆子。後來我回家等消息。根據律師研判，如果鬧上法庭，我會被判兩年，不過礙於我的腿傷，庭上大概不會判我服苦役。」

「很寬容嘛。」

「是啊。後來有人建議我，應該去看心理醫生，接受治療，這這……這樣會有幫助。所以我去找海德醫生，他在這領域的名氣滿大的──有人這樣告訴我，一字不漏：『亨利．海德能治好雞姦慾。』──結果海德說，他的工作量太重，沒辦法看我，所以推薦瑞佛斯給我。我去找瑞佛斯，他說他可以看我。」

「你想不想被治好？」

「不想。」

「他怎麼治療你？」

「交談法。確切而言是，我講他聽。」

「談性嗎？」

「不是很常談，主要是談戰爭。讓人摸不著頭腦的地方就在這裡──他才看我一眼，就診斷我罹患神經衰弱症。我嘛，倒是看得出他的用意何在。我剛出院時，精神狀態很不穩定，比我當時的理解還嚴重許多。有一天，晚餐過後，我拿起一支花瓶，直接扔向牆壁。那頓晚餐的客人很多，大概有十二人，花瓶碎了之後，全廳是一片可怕的……寂靜。我當時無法解釋自己的舉動，只知道那支花瓶很醜。不過後來，內人說：『你姨媽桃樂絲不也一樣？同理推想下去，那還得了？』」他笑笑。「我沒辦法找別人傾吐，只好跟他談。」

普萊爾一手放在曼寧的手臂上。「你以後不會有事吧？我是說，警方會不會再來找你麻煩？」

「我不知道。我在想，假如真要起訴我，應該早就起訴了。」他的嗓音一沉。「『不料這時，有人砰砰敲起門了……』」

普萊爾思索著。「總之，把你診斷成神經衰弱，滿省事的嘛，對不對？」

「未必。」

「我的意思是，對瑞佛斯而言。他不必觸及……」

「瑞佛斯的想法怎樣，我不清楚。反正，我最需要談的是這一場戰爭。何況，你知道，即使面對他，有些事情我也不便——」

「你遲早會的。」

兩人躺著互看。曼寧說：「你剛剛說到，你在軍火部被分配到哪個單位——」

「對。情報處。」

「長官是婁德少校？」

「對。長官是婁德少校。你呢？」

「我在六樓。」

答案顯然在辦公室的方位。曼寧翻身，一手橫跨普萊爾的胸膛。「想不想交換一下？你該不會不玩這一套吧？」

普萊爾微笑。「我什麼都玩。」

第二章

查爾斯．曼寧離開軍火部，比平常提前兩小時下班回家，因爲他約了建築師傅過來檢查房子，看看能否整修被炸彈波及的損害。下午才過半，以春季而言，這天出奇地濕熱，皮膚黏膩。烏雲朵朵來，太陽難得露臉，日光照耀樹梢時，嫩葉閃耀出鮮明的色澤，幾近慘綠。

他心不在焉，路過砲災戶，砂石踩得嗶啵響，連帶焦磚的氣味，令他駐足，從圍牆的空隙往內窺視。被炸毀的民宅在兩旁殘留輪廓，猶如視覺暫留現象。他看見受災戶臥室的壁紙，花樣有螺旋狀，也有柵格狀，原本唯有住戶與僕役看得見，如今暴露於風雨之中，路人想看就看得見。在災區的荒原裡，萬物靜止不動，但在視野之外的某處，塵埃正從無法止血的傷口持續滲漏。

倏然間出現一隻貓，一隻皮包骨的貓，是在廣場附近流浪的喪家寵物之一。牠開始在廢墟裡小心走，皮毛烏亮光滑，線條既稜角分明又曲折。貓停下來。曼寧察覺，含有惡意的貓眼轉向他，中分的粉紅鼻朝天細究著空氣。接著，貓繼續走，腳底的軟肉在亮晶晶的碎玻璃之間找空隙落腳，曼寧看著牠走出視線。這時候，他想到，不能再逗留了，把僵硬的一腿邁上家門的臺階，將鑰匙插進鎖孔，這次記得拉而不是推，不禁淡淡一笑。

郵箱裡有一封信，他取出來，帶至大客廳，瞳孔逐漸適應昏暗。濃濃的煤灰味。肯定又垮了一塊：掃除煙囪的工作，同樣也找不到工人。他低頭看信封。打字。八成是商家寄來的信。他投宿在俱樂部，這是家人與好友全知道的事實。他把信放在罩住沙發的防塵布上，走向大客廳的另一邊，打開窗板，讓黃奄奄的日光灌進來。

他走過去看看門上的裂縫。這面牆壁是承重牆嗎？建築師傅問過。曼寧握拳敲敲打打，聲音不顯得空洞，也不覺得脆弱，但話說回來，這些房子的結構本來就不十分扎實。他走向前方的牆壁，再握拳敲擊，這次聲音隱約有些不同。只不過，差別不大。他回到門上的裂縫，留意到整座門框都有鬆動的現象，他愈仔細檢查，愈覺得情況嚴重。記得普萊爾曾說，看起來很危險。他不禁微微一笑。怪男一個。春宵的往事回流，曼寧自覺慾望蠢蠢欲動，即使在這當兒，理智仍努力分門別類著。起初，他聽見普萊爾的母音平緩，當時心想，啊，一個臨場紳士。這種綽號既缺德又瞧不起人，但人人都這樣稱呼他們，只不過，如果臨場紳士是與自己投合的朋友，大家顯然會儘量改口。但令人訝異的是，人的階級意識多麼難改啊。幾乎在任何狀況下，理智似乎都能細分階級，加以評判。他憶起索姆河戰役，記得諾森伯蘭軍與杜倫軍誤中機槍掃射，一排排士兵整齊躺平，宛如被收割的小麥。當天深夜，曼寧在戰壕裡跌跌撞撞，伸手不見五指，拚命想辨別他負責的正面戰線的終點在哪裡，這時撞見一位諾森伯蘭軍團的軍官。這位軍官的士兵死傷慘重，外表明顯大受震撼。誰能怪他大驚失色呢？陣亡的士兵有多少，只有天知道。曼寧對他表達同情之意，儘量穩定他的心情，自知自己的抗壓力尚未接受考驗，但他居然有閒情留意到，這位諾森伯蘭軍官的「h」音全省略了，土腔畢露。曼寧感到震驚。他被自己的反應嚇到，卻也持續震驚。怪事是，曼寧知道，假使對方是基層兵，他的震驚度必定大減，不至於失態。

隨著春宵夜深，「臨場紳士」的用語愈來愈不合宜，因爲「臨場紳士」指的是那種低級人——確實是高級不到哪裡啊——專門模仿比較高尚的族群，急著把一言一行做「正確」，結果在裝模作樣的過程中，愈學愈缺乏血色，道德失血，徹底令人作嘔。普萊爾不至於淪爲那一型，並非因爲他不模仿——他確有模仿之舉——而是因爲他的態度並不急躁。有一兩次，曼寧幾乎隱約偵測出一抹得意的笑顏。甚至可說是以模仿爲樂。總而言之，基本的事實是，普萊爾是徹頭徹尾不合適。**社會階級**格格不入。性事方面當然也是。只不過，曼寧反省到性事時，心情比較不自在。他說他有個女友，住在北方，但這種話大家都掛在嘴上。曼寧當時提議兩人應該再聚一聚，普萊爾也認同，但普萊爾答應的態度客套，熱情不多。或許普萊爾不會再來，或許不來反而比較好。他在軍火部上班，讓整件事變得太接近……。唉，總之就是太接近了。

曼寧看錶。建築師傅再過十分鐘才到。他走向鋼琴，掀開防塵布，取出珍與兩兒的合照。去年夏天拍的。那時候，羅柏多麼胖嘟嘟啊。現在仍是小胖子。羅柏出生至今，一直是臉頰圓滾滾、五官無特色的小孩。相片裡的他抱著小船，好像擔心被搶走。詹姆無疑正有此意。曼寧看著羅柏，心想，他就像我。曼寧對長子的父愛之深，幾乎深到心痛，有時候他覺得對大兒子講話的口氣太嚴苛了，只因他常在兒子身上看見自己的影子。他知道兒子的弱點，他因此惶恐，因爲到最後，爲人父母者也無法保護子女。所有人——也許連羅柏也包括在內，最令人沉痛——都認定他偏心詹姆。其實不然。他對詹姆的愛，整體而言，屬於一種比較向陽、比較不複雜的感情。詹姆帶給他的樂趣比較多，因爲他看得出詹姆有韌性。詹姆遺傳了母親線條分明的黑眉毛，遺傳到她的頰骨、下頷、以及似笑非笑的坦率表情。這張相片沒能忠實呈現她，日光把她臉上的堅強全漂白了。或許正因如此，相片裡的女子變得更美，卻也大失珍的本色。「嫌它很醜。」珍指的是被他扔向牆壁的花瓶。「你姨媽桃樂絲不也一樣?同理推想下去，那還得了?」這才是典型的珍。口氣聽來雖無情，其實不然。不盡然。面對任何外在威脅，她能絲毫不畏縮，但心靈的陰霾令她畏懼。

曼寧朝壁爐走去，中途看見沙發上的信，拿起來，再一次猜測是誰寄來這地址。家裡沒有待繳的帳單。大家都知道他投宿在俱樂部。他一面拆信，一面考慮著，待會兒建築師傅上門，或許應該叫他修補花瓶撞壞的凹洞。信封裡，照理應該是信紙，他看見的卻是一張剪報。他翻過來閱讀：

陰蒂崇拜會

茉德．埃倫即將在王爾德之《莎樂美》擔綱演出，不對外公開，欲參與者請去信向瓦列塔小姐申請，地址是威斯敏斯特市阿德爾菲區杜克街九號。倘若蘇格蘭警場取得會員名單，本人認定警方必能掌握首批四萬七千人當中的數千姓名。

曼寧讀過這一段。這則文章最初刊登在潘波頓．畢陵（Pemberton Billing）的爛雜誌《義警隊》裡，後經多家質報的轉載，通常省略標題。原文甚至連茉德．艾倫（Maud Allan）的姓都拼錯了。茉德．艾倫正以毀謗罪名控告潘波頓．畢陵。依曼寧看來，告上法庭是大錯特錯，因爲潘波頓．畢陵一旦站進證人席，可以仗勢著免責權，恣意指控任何人，完全不怕遭起訴。而遭他指名道姓的人可就逃不過法網了。當然，從茉德．艾倫的觀點來看，假如她不訴諸法庭，她肯定會身敗名裂。反正告或不告，她十之八九是毀了。

問題是，這張剪報爲何寄給他？是誰寄的？從郵戳看不出端倪。信封裡沒有附上簡介信。曼寧把剪報放在沙發上，隨後又拾起，以拇指與食指掐著薄弱、泛黃的報紙，以手背擦拭上唇，接著轉身想照鏡子，彷彿想請教自己。這時候，由於大客廳的門沒關，他看見的是一連串無止境的自己。他在那份名單上。他打算去欣賞《莎樂美》，不只是以普通會員的身分出席，而是伴隨勞伯．羅斯前往。羅斯是王爾德的文學遺產執行人。核可演出的人正是羅斯。

他立即自問有無光明正大的退路，但他緊接著心想，不行，沒有用。事到如今才退出，根本是向向向……向監視他的人自暴恐懼心。顯然有人正在監視他。有人握住他的底細，所以才寄剪報到他家。

普萊爾在情報處上班，長官是婁德少校。或許這事和他脫不了關係？曼寧不清楚。最糟糕的正是，他完全不清楚。

門鈴響起。剪報仍在手裡，曼寧前去開門。站在門階上的是一位頭髮灰白、朝氣蓬勃的瘦男，藍眼水潤，一副「大清早打擾您，抱歉」的表情。

「曼寧上尉嗎？」他脫帽。「長官，我是歐布萊恩。我來商量修理的事。」

曼寧察覺自己目瞪口呆，趕緊嚥一下口水，把剪報放進制服口袋，說著：「對，當然。進來吧。」

他帶歐布萊恩去看牆上的裂縫，被剪報驚嚇到幾乎聽不懂師傅說什麼。他逼自己專心。這堵牆確實是承重牆。

「你估計多久能修好？」

歐布萊恩嘶嘶嘴。「三天。正常而言。問題是這樣的，長官，最近招不到小伙子。現在是威廉斯。」歐布萊恩傷心地搖搖頭。「年輕時工作起來很帶勁。小孩子嘛。態度積極。以他這年齡還不算冒失。薩謬爾斯。」歐布萊恩拍拍胸脯。「他的肺累積太多粉塵。」

「得花多久時間？」

「兩個星期吧？三個星期？」

「哪一天能開工？」

「隨時都行，長官。星期一可以嗎？」

在此必須說明，歐布萊恩是個令對方瞬間覺得靠不住的人。曼寧邊送他走，一邊心想，但願我沒下錯決定。送走師傅之後，他回去再看裂縫一遍。師傅在探索承重牆的過程中，敲下了不少石膏，曼寧看著地上的灰色粉塵，開始懷疑歐布萊恩的眞本事也許在於拆房子。唉，管他的，他心想。他的手指夾住剪報，再拿出來看。他記得兩三個月前，黑皮書與四萬七千人名單的報導首度披露後，羅斯就收過同樣的剪報。匿名信。不附簡介。他走至窗前，望向花園。這種黃光瀰漫一股異樣的張力，彷彿天空可能即將雷聲隆隆。花園裡的灌木叢多年未曾修剪，全都亂生一通，此時靜悄悄，唯有枝葉最末端顫巍巍的，恍若貓尾巴。幾滴雨開始落地，灑在塵土遍地的臺地上。一件往事正奮力浮上腦海。他坐在某處的塵土地上，開始下雨，雨珠打在他的手和臉上，他哭了起來，哭得遲疑，不太確定這種反應是否正確。接著，一位育兒室的女傭跑來抱走他。

他決定，今晚問問羅斯，看羅斯是否也收到剪報，是否知道有誰也收過。問了也不見得能求心安。認識羅斯這樣的人很危險，隨著潘波頓·畢陵案引發的歇斯底里氛圍逐日高升，危險性勢必與日俱增。謹愼的做法是與羅斯一刀兩斷。不知爲何，終於釐清了這一點，對心情有極大的舒緩作用。他當然不會和羅斯絕交。他當然會去欣賞《莎樂美》。總歸一句話，問題的癥結在於勇氣。

爲什麼寄來他家？熟識他的人若知他名列訂戶名單，必定也知道他投宿俱樂部一事。但話說回來，也許這些熟識者也知道他時常回家走走，檢查房子是否一切安好，也做……其他事情。

切忌高估對手的所知。此刻的他窮著急，是誤中對方的詭計。

在自宅裡如此拆信，從某些角度來看，比在俱樂部拆信的感覺更難受。這棟受災屋流露妻小的回憶，也流露著戰前的他，與現在被搾乾的他相形之下，往事更顯鮮活。他在白布蒙罩的家具之間走動，更覺得自己像幽靈。

像這樣生悶氣，也不是辦法。他檢查看看脫落的石膏是否被防塵布接住。如果掉到地上，被踩進地毯更麻煩。他關閉窗板，把相片放回防塵布底下，開門外出。

正在下雨。他離開廣場，開始在貝斯沃特路上疾行，建築物與人影倒映在人行道表面，影像朦朧，宛如另有一座城市受困在雨水與油漬底下。他低著頭前進，考慮今晚應該去見羅斯，同時也記得下星期是回去看瑞佛斯的日子。來到蘭開斯特門地下車站，暖氣迎面而來，他繼續前進。

來到牛津街，一匹馬跌倒，卡在貨車輪軸之間，無力地掙扎一陣，想重新站起來，旁邊照常聚集了圍觀民眾。不會有事的。不會……

霎然之間，自家遭人侵犯的感覺排山倒海而來，他瑟縮在牛津街的人行道上，彷彿遇到連續七十小時的疲勞轟炸。他假裝瀏覽著櫥窗，卻看不見任何商品。症狀發作了，感覺異常，比現在更嚴重的情形沒幾次。一如赤身裸體，高居某地的岩架上，毫無蔽蔭，底下只有起鬨的人聲與數以百萬計的人眼。

第三章

在艾理斯貝立監獄，普萊爾坐在來賓等候室，右腳翹在左膝上，雙手抱踝，四下凝望著。監獄建築的正面宛如滲血繃帶，嚴酷但令人動容，而等候室的裝潢寒磣，裡外形成強烈的對比，但寒磣本身的用意也是恫嚇來人。等候室裡的一切，從磨損至無色的地板、斑駁的綠色油漆、到被牢牢釘在地板上的椅子，無一不暗示著，探監者十之八九也是罪犯。牆上有一份告示，告知探監者在何種情況下會被搜身。

普萊爾低頭看自己身上這件長大衣，撣掉一粒假想的灰塵。這件不破不髒，不是麥拉傻到拒絕躺在上面的那件，而是整體而言更高級的一件，足足花了他兩個月的薪水。在這類場合穿出來是每一分錢花在刀口上。

門打開，一名女獄卒進來。普萊爾起立，謙恭的態度帶有微乎其微的誇張。男人想讓女人乖順聽話，最有效的方式莫過於對她故作慇懃，這種情形令人扼腕，卻也是不爭的事實。

「好了，好像一切就緒了。」她說。

他點頭。「好。」

「麻煩您往這裡走。」

他搶先來到門口，爲女士開門。獄卒是中年婦女，皮膚白胖如麵團，他可不願在她身上浪費同情心。畢竟，她有她自己的權力，普萊爾握的權力跟她沒得比。假如她現在有受辱的感覺，待會兒某個性病纏身的老娼妓必定遭殃。

他跟著女獄卒在走廊前進，然後出門進放封場。

「女囚區在那邊。」她指著說。

一棟陰鬱、龐大的樓房，有六排小窗戶，靠得很近，近似仔豬的小眼珠。普萊爾望著放封場。

「女囚運動的時候，男犯人不可能看不見吧？」

「看不見，」她說。「窗戶太高了，男囚想看也看不見。」

他問一兩個問題，想認識監獄的運作，想瞭解輪班制，也想知道獄方是否提供員工交通車。剛才他忽然想到，他戰勝女獄卒，待會兒付出代價的人可能不是某個不知名的妓女，而是他來探望的女囚。他急於避免這種後果。「輪班一定很辛苦吧，」他關心說。「對女人來說尤其辛苦。」

他與女獄卒站在寒冷的放封場裡，聽她訴說母親臥病的辛酸。接著，來到女囚區的門口，他再度爲女士開門，這次她非但不動怒，還臉紅起來，因爲此舉的心態不同於前——她自認不同。

又進入一道走廊。「男人單獨探望女犯人，我知道是一件極爲不尋常的事，」他說。「不過妳應該能諒解吧？事關安全……」

「喔，當然，當然。我剛質疑的原因只有一個，就是堅持她在牢房裡會客。安全的措施，我們最清楚了。本獄有一個女囚犯是愛爾蘭叛亂分子的首腦。」內心掙扎片刻後，她才脫口而出，「她本來是伯爵夫人。」

說到這裡，她極盡英國勞工階級之能事，在臉上堆滿敬畏的神情。不得了啊。

「碧蒂．洛葡的出身就天南地北囉，」她繼續說。「土得跟泥巴沒兩樣。」

再穿越幾道門，女獄卒帶他進入一間寬廣的門廳。進這裡之前，普萊爾原以爲又是一條走廊，又是另一廳，沒想到，他走進了一個看似坑底的地方，四周的高牆環繞著三層鐵平臺，點綴著鐵門，三層之間有鐵梯串聯著。大坑中間坐著一位女獄卒，一抬頭，就能將每一道門盡收眼底。帶普萊爾過來的女獄卒走過去與同事交談。

普萊爾東張西望，臆測著什麼樣的女犯人會被關進這種監牢。娼妓、盜賊、睡夢中「不愼壓死」嬰兒的小媽媽、以鉤針戳器官求墮胎的婦女——這些女人，眞的非關進這裡不可嗎？鈴聲響了，他背後的牢門打開，十幾名女囚拖著腳步前進，來到樓梯第一層平臺，分成兩行。女囚穿著式樣畫一的灰色罩袍，從脖子罩到腳踝，與平臺的鐵灰色一般灰，因此女囚看似長了腳的金屬廊柱。顯然獄方禁止她們講話，全場只有靴底踩踏樓梯的聲響，以及此起彼落的咳嗽聲。

接著，一位比較年輕的女子轉頭，注意到他。轉瞬之間，興奮之情傳開來，兩行女囚各個精神抖擻，猶如狗的背脊毛整排豎起。大家紛紛脫隊，擠向欄杆，針對她們看得見的東西發表感想，針對她們看不見的東西猜測尺寸。有人向他提議，乾脆掏出來給大伙兒瞧瞧，以平息眾議。接著，一位方頭的矮女人推擠向前，把罩袍掀到肩膀，顯露英王的德澤並未涵蓋公家配發的底褲。她猛指著自己那團漸稀的陰毛，反覆指著。後來，有人吹哨子，幾位女獄卒奔向前，女囚全被趕回隊伍裡，踏步聲再起，不久後，平臺寂靜無人，只聞關門聲與鑰匙插進鎖孔的聲響。事件從頭到尾不到三分鐘。

護送普萊爾的獄卒回來了。「幸好，」他說。「不然我以爲自己快成了飢民爭食的一塊豬排。」此言踢到鐵板。「洛葡在最上層，」她說。

兩人的靴子踩得鐵樓梯鏗鏘作響。上樓後，普萊爾回頭一望無人的平臺，頓時產生一種似曾相識的感覺，一時之間感到困惑。旋即，他想起來了。這裡就像戰壕，如同潛望鏡裡的無人地帶，地表看似空無一物，其實潛伏著成千上萬的士兵。那種空曠的錯覺總令他毛骨悚然。即使是現在，他踏著三樓平臺前進之際，他仍覺得頸背的毛髮森森聳立。

女獄卒停在三十九號門口，先彎腰湊向窺視孔看了一下，然後才開鎖。「就是這一間。」她說。「抱歉，照規定，要連你一塊兒鎖住。你想出來的話，敲敲門，我就在走廊盡頭等。記得，要敲用力一點。」她遲疑一陣。「她正在絕食抗議。你見到她，會覺得她身子很虛。」

他跟隨獄卒進入牢房。裡面非常暗，但牢房深處的牆上有一小道鐵窗，高高在上，一道光線照進來，將鐵條的黑影畫在地上。一片雲飄來，遮住太陽，影子突然淡去。瞳孔漸漸能適應黑暗了，他才看見一個灰囚衣的身影蜷縮在木板床上，以枯瘦的手臂遮臉。除了床以外，僅有的家具是一個水桶，飄散著濃烈的屎尿臭。

「洛葡？」

床上的人不動也不出聲。

「這位是普萊爾少尉。他想找妳講講話。」

仍無回應。普萊爾一時以爲她死了，以爲自己遲來了一步。他說：「我是軍火部派來的。」

女囚依然遮著臉。「那你乾脆滾回去算了，少煩老娘。」

獄卒咂嘴。「由你看著辦吧。」她說完，對著空盪盪的牢房望一眼。「你想不想找椅子坐下？」

「不用了，我可以應付。」

「他馬上就走，不必找椅子坐了。」

牢門砰然關上。普萊爾聆聽著漸行漸遠的足音，走向床邊。「妳知道吧，如果妳肯配合，還是有機會獲得赦免。」

不語。

「只要妳提供我們需要的資訊。」

女囚依然閉著眼睛。「我已經告訴過你了，你這個油嘴滑舌、愛拍馬屁的小混帳，給我滾回倫敦去。」

最後他聽見下樓聲。「坐了牢，還改不掉滿口粗話的老毛病嘛，碧蒂。」

她睜開眼睛。普萊爾站到窗外日光能直射到臉的地方。

「比利？」

他再靠近一步。碧蒂上上下下看他，甚至摸摸他的衣袖，萬般情愫爭相湧上心頭，搶著占據她的臉。她挑選最單純的一種情緒。對軍服的憎恨。「你爸地下有知，一定氣壞了。」

「假如他躺在地下，哼，我猜他一定會生氣，可惜他還活著，活蹦亂跳的，專踹我母親。」碧蒂不喜歡他提父親虐待母親的事。但這話起了作用，將兩人帶回汰特街，送進商店後面的房間裡，燉牛肉與餃子在爐子上慢慢滾，荷娣照著壁爐架上的鏡子，想把鬈髮垂定在額頭上。普萊爾把握這句話引發的親近感，在床尾坐下，她稍微移動身子讓位。「我剛才看見什麼，說給妳聽，保證妳不相信。」他以同樣閒話家常的語調說，做出掀罩袍到頭上的動作。

碧蒂被逗得神采飛揚。「瘋婆瑪莉，」她說。「哎喲，她的那東西，她逢人就現，哪怕對方是牧師或是總督。我跟她說：『收起來吧，瑪莉，毛都都快掉光了。』她哪肯聽道理啊。她呀，腦袋不知道飛去哪座森林了。腦筋不正常的女犯人可多著呢。被關進這裡的女人，有些根本不應該坐牢，應該住院才對。對了，我們有個牢友以前是伯爵夫人喔，她是愛爾蘭叛亂分子，我在放封場碰過她。她說：『想暗殺勞合．喬治的女人就是妳呀。我想跟妳握握手。』我說：『我心領了，小姐，可惜我不是刺客。』」

「不是嗎？」

「廢話，我當然不是。」她瞪著普萊爾。「我企圖以含毒的吹箭戳勞合．喬治的屁股嗎？我。才。沒。有。如果你問我：『假設，妳有吹箭，箭頭含劇毒，而勞合．喬治的屁股正好在這裡，妳會不會戳他？』廢話，我當然會，因爲只要那個王八蛋掌權，世界就沒有和平的一天。」

普萊爾搖搖頭。「不能把這種事全賴在一個人身上吧。」

「你不能嗎？我能。」

「從馬克思主義分子的角度來分析，就能演繹出這種道理？我覺得不至於。」

「去你的馬克思主義分析，我恨混帳勞合．喬治。」

他等著。「恨到想要他的命？」

「對，恨到想要他的命！而且，我也不會有罪惡感。他害死了好幾百萬個小伙子，不也沒有罪惡感？」她躺回床上，嘴巴一直動。「我才不是信念不堅定、當眾爬行顯示忠誠的那種反戰分子。」

「如果開庭時，妳不講這些話，對妳自己可能比較好。」

「我在法庭上講的是實話。事實，完整的事實，唯事實不談。」她哈哈笑一笑。「結果成了致命傷，可惡。你知道嗎，比利，想當年，我年輕時，想騙誰，誰不相信？現在呢，別人問我簡簡單單的一句話，我稀裡嘩啦的，實話全吐出來了。」她搖搖頭。「可惡的貴格會教徒，我跟他們走太近了，所以才講不出假話。跟善良基督徒相處，毀了我一生。」

「所以說，妳沒有暗殺他的預謀？」

「箭毒是用來毒狗的。」

她從床上撐起身體，頭靠著牆。從這姿勢，普萊爾看得出她有多麼消瘦，皮膚多麼缺乏血色。上次見面時，她的頭髮是褐色，如今近乎全白，在後腦紮成一包，幾絲沒紮緊，散落在脖子上。他正要開口，卻被碧蒂打斷。「你來這裡幹什麼，比利？」

「來幫妳。」

她微笑。「你不是扯到什麼資訊嗎？」

「我不得不說的，講給獄卒聽。」

「不過，你**確實是**軍火部的人？」

「我當然是。不然我怎麼進得來？又不表示我的來意是刺探資訊吧？」他彎腰向前。「碧蒂，妳想想看，妳**能**有什麼樣的資訊？」

她生氣了。「說給你聽，你會吃驚的。囚犯進進出出的。」接著，她拉長臉。「說真格的，這裡關的政治犯不多。這裡的人老講自己的心事，聽久了會煩。」

「我希望你能說出事情的經過。」

「你是說，你不知道？」

「我沒有拿到法庭的聽寫稿。」

「沒有嗎？你讓我眞意外。你幹嘛不去跟史布拉葛商量看看？」

「我會的。我想先聽妳的說法，因爲我還沒聽過。」他等著。「碧蒂，不管妳受到的傷害多深，傷害已經在法庭上造成了，無法挽救了。我又不是叫妳透露妳沒在法庭供出的人名。」

她沉思片刻。「湯姆．布聯肯索死了，你知道嗎？」

「湯姆——」

「我留宿的那個逃兵。那陣子，荷娣在密鐸頓教書，搬出去了。家裡空出一個房間，所以就開給湯姆去住。唉，可憐的小湯姆，小孩十一個。表面上看他，倒看不出他帶種咧。他對我說：『碧蒂，告訴妳好了，我從軍其實只想圖個清靜。』可憐的年輕人。總之，有天晚上，湯姆和我坐在壁爐前，突然有人敲門。我對湯姆說：『你上樓去吧。』我去應門，發現是……」她嘆息，望穿牆壁。「史布拉葛。被雨淋成落湯雞，那晚的雨下得好大啊。他說，他收到邁克的信，帶在身上，我當然請他進來坐。事情發生到現在，我常回想，發現他想對付的人其實是**邁克**。**邁克**才是他想撈的大魚，我們只是不巧掉進魚網。那封信夠逼眞了，邁克被他騙了，我也同樣被唬得一愣一愣，所以說，他的說服力夠強，沒錯吧？言歸正傳。他解釋說，他想去利物浦，他說：『可以留我過一夜嗎？』我說：『呃，不行，不太方便。』我接著一想，嗯，好——吧。我說：『要看你介不介意合睡一張床。』我把湯姆借住的事情告訴他。他問：『湯姆有沒有同性相近的傾向？』我嘛，就這樣看著他。我說：『沒有，應該不會吧，人家他生了十一個小孩耶。喂，睡不睡隨便你。』所以呢，他決定借住了。我們坐一桌，坐了一會兒，他注意到我們家威廉的相片，擺在壁爐架上。威廉的事，他熟不熟，我倒不清楚，我猜他應該知道吧，因爲他一直把話題扯過去，稱讚他是一個多麼正直的小孩。你知道嗎，我爲了威廉的事，著急得快生病了，因爲我曉得狀況怎樣。結果呢，他設法偷渡一封信出來。」

「什麼狀況？」

「唉。是這樣的，威廉沒有獲得免役。他……一部分原因是他運氣不好，栽在醫評會上。不過你應該知道，有些人基於道德因素反戰，醫評會看他們不順眼。如果反戰的理由是信教，不管你信的是什麼天花亂墜的宗教，就可以推說，你信的聖靈躲在壁爐架上的果醬罐裡，醫評會就相信，你就能免服兵役。假如你說：『我認爲，把青年送上戰場互相廝殺，是不道德的事，』那我願上帝保祐你。醫評會主席居然對我們家威廉說：『你不信上帝，所以不能基於良知而反戰。不信上帝的人沒有良知。』差不多就是這樣講。總之，如果醫評會拒絕給你免役，你會馬上被移交軍隊。憲兵來了，把你押進軍營，給你下的第一道命令通常是：『剝光衣服，把制服穿上。』反戰青年當然不服，結果被送進拘留所。我們家威廉被送去萬茲華斯，苦啊。他被脫光衣服，關進一間石地的牢房，窗戶沒玻璃——而且是一月啊。然後呢，他說，他們把一套軍服放在旁邊，等著看你能撐多久。我當然擔心得快生病了，怕威廉得肺炎啊，不過，他說，他怕的不是冷，而是全天候被人監視。門中眼。」她笑一笑。「我本來不知道他指的是什麼。」

她望向普萊爾的背後，普萊爾轉頭，順著她的視線望去，看見門上畫著一幅畫工繁複的眼珠畫，以窺視孔爲瞳孔，周圍則被人苦心畫上脈絡精細的虹膜、白眼球、眼睫毛、眼皮。眼睛畫在不該出現的地方，令普萊爾深感不安，霎時覺得自己重回法國戰壕，注視著自己的掌心，上面是一顆塔伍斯的眼珠。他眨眨眼，把那幅慘狀眨跑。「好可怕。」他說著轉頭面對碧蒂。

「眼睛待在門上就沒事。」她點一點自己腦袋的側面。「怕就怕它鑽進這裡。」

「不管了，言歸正傳。史布拉葛不是談起威廉的事嗎？」

「對，他一直把話題轉到威廉，而我當然擔心囉，稀裡嘩啦講個沒完。讓我心疼的不只是我們家威廉，而是所有人。」

「所有的良心逃兵？」

「別用那個字眼嘛。」

對，他心想。有些人每聽見士兵陣亡的消息就心酸，碧蒂是其中之一，早餐看報紙，讀到傷亡名單，成天耿耿於懷，不像絕大多數老百姓，讀完即忘，然後開心過日子，習慣成自然。假使她也能習慣成自然，或許不會淪落至此。「繼續說吧。」他說。

「他看得出我在難過，所以他說：『我們喝一杯吧？』唉，你知道，我那陣子要負擔湯姆的伙食，手頭有點緊，不過他說：『別擔心，我請客。』他去炊具存放室，帶回好大好大的兩壺，開始倒酒。哇，好特別的酒。唉，比利，你懂我的個性，我連灌了兩杯之後，就把他當成失散多年的哥哥了。我照他的意思**講開了**，嘴皮動個不停，咒罵勞合．喬治，咒罵英王，所有的混帳全被我罵遍了。比利，你要體諒我，我那陣子**好寂寞**啊。幾個月下來，能談心的對象只有湯姆，而湯姆的神經那麼衰弱，可憐的小混蛋，跟他聊，能聊到什麼東西？後來呢，審判的時候，我對史布拉葛講的話當然全被扭曲了。他說我一直暗示說，勞合．喬治的死期快到了。我清楚記得我講的話是：『那個該死的混帳王八蛋勞合．喬治，豬腦袋簡直像用四十先令買來的尿壺，不過，我今天講的話，你要牢牢記住：他遲早會後悔的。』就這樣。我只這樣講而已。講這樣就算**揚言刺殺**。」她搖搖頭。

「根本沒那回事兒。後來呢，我們把第二壺喝完一半——喝的人是我啦。結果他說：『妳說的話可以信嗎？』我說：『你不信的話，你就倒大楣了。』接著，他開始告訴我，有一間拘留所的管教多嚴格。比萬茲華斯更苦。結果你知道嗎，他告訴我的東西，全是我剛剛說給他聽的東西，說什麼在牢房裡脫光衣服之類的。那時候我腦筋不清楚，沒聽出不對勁的地方。後來他說，他和幾個朋友想出一個辦法，可以救反戰青年出來。他們在拘留所裡面有內應，是一個警衛。他說，不過，麻煩的是拘留所養了一堆狗，用來巡邏圍牆。我說：『下毒不就好了。』他說，嗯，對，可是，下毒也有麻煩。因爲有內應，所以下毒應該布置得像外人下的毒手，不然拘留所會猜出是**他**。所以我說：『南美箭毒。』」

「用吹箭，從圍牆空隙發射？」

「對。」

「對著狗發射？」

「對。」

「當然，」普萊爾說，「妳應該知道吧，箭毒這東西，不是人人聽過。」

她首度露出不安的神色。「知道。我嘛，是在一本介紹南美洲的書裡讀到的。有一天，我碰巧跟阿爾福——我們家溫妮的丈夫——提起箭毒，他說：『喔，我們的實驗室也有。』所以我才知道哪裡有箭毒。」

「以前沒考慮過刺殺首相的事嗎？審判期間，檢方說妳以前搞婦女投票權運動時，就策畫暗算他。」

「婦女投票運動從來不威脅人命。威脅物業，不威脅人命，這才是婦女參政運動值得榮耀的一點。由此可見史布拉葛的見識多麼淺。說謊不打草稿，信服力太低了。」

「陪審團好像相信他的說法。」

「法庭上的情形怎樣，你跟我一樣清楚。如果證人是該吊死而沒死的大壞蛋，而被告是一個和平主義分子——哪怕是耶穌基督本人——你認為陪審團信哪一個？」

「妳提到箭毒時，他怎麼回應？」

「他說，可以，不過，哪裡弄得到箭毒呢？我說，我知道哪裡弄得到，不過風險太高了。他聽了說，如果我能幫他找箭毒，他可以幫我把湯姆偷渡到愛爾蘭。我當下就答應了，因爲啊，湯姆那陣子愈來愈怪。我老實說好了，我那時以爲，再不把湯姆送走，可能會被瘋子賴著甩不掉，就像莉莉・布雷斯衛特的老公。他回家以後是怎麼一個模樣，你曉得嗎？」

「所以妳答應去找箭毒？」

「對，他給我一個地址，叫我弄到箭毒以後寫信通知他。我寫信給女婿阿爾福，女婿的回信提到毒狗的事，不過檢方不提這封信當證物，我猜是掉進人行道的裂縫了。我女婿回信說，他可以幫我取得。他在一間規模不小的醫學化驗所上班，要簽名才拿得到毒藥。不過他不擔心，因爲被毒死的狗離他那裡太遠了，沒人會聯想到他。假如他曉得箭毒是用來毒死首相的，哪肯輕易簽名？」

「後來呢？」

「後來我一直等。等了好久好久，郵差怎麼遲遲不來？原來啊，所有的信件都被人拆開檢查了，我和我女婿不曉得。毒藥的郵包被打開過。後來，郵包終於寄來我家，才過幾分鐘，警察就找上門了，我被依串通謀殺勞合・喬治的罪名起訴，罪名不只這一個。警察賴給我的不只是暗殺首相的罪名，還扯說，我策畫謀殺的人有好幾百個。結果呢，我當然只能喊：『毒藥是用來毒狗的，』可惜我沒辦法證明，因爲當時只有我和史布拉葛在場，而他是軍火部派來的人。對了，審判庭。你知道嗎，他出庭的時候，把所有的信朗讀給大家聽。」

「妳指的是史密斯？」

「對，就是首席檢察官史密斯。嘩，所有大人物都出動了，我好光榮喔。史密斯在庭上朗讀我寫的信，裡面提到溫妮的月經來遲了，之類的東西。可惡啊，他照我寫的拼音朗讀。我的拼音從小就差勁，他是想消遣我。哼，假如他八歲就失學，我看**他的**拼音能棒到什麼程度。」

「他不應該做那種事。」

「大家倒不覺得有什麼不應該。他最在意的是我寫的粗話，把我當成一個可怕、粗俗、低賤、野蠻、下流的女人，髒字連篇，沒有一個是他親愛的嬌妻認得的字眼。他的心態**鐵定**是這樣。」

普萊爾向後挪坐，靠著牆壁。門中眼令他覺得難以適應。正面對著它難以忍受，因爲無從判斷窺視孔裡是否正好有人眼。背對著它更難受，因爲最令人心驚肉跳的莫過於背後有人監視。如果改成側坐，他又覺得有人一直想吸引他的注意，隱隱令他心煩。怎麼坐，心裡都有疙瘩，疲於應付。**他**才坐不到一小時就覺得疲憊，碧蒂呢？她一蹲就是一年多，怎能忍受？他注意到，屎尿桶擺在門外看得見的地方。「爲什麼把桶子放在那裡？」

「因爲有個可憐的笨母牛溺死在自己的尿裡。」

「我的天。」普萊爾凝視著她。「妳的狀況沒有那麼差吧？」

「沒有，我硬撐著。麻煩是，絕食抗議的處罰是不能會客。我好久沒見我們家荷娣了……唉，大概兩個月了吧。」

「我替妳想想辦法。」

「那天史布拉葛也講同樣一句話。我跟他說，我沒法子把湯姆偷渡去愛爾蘭，他的說法就是：『我替妳想想辦法。』」

「差別在於，我不求回報。」

她碰碰普萊爾的衣袖。「比利，我們以前情同母子，我把你當成親生兒子。」她等著。「我不打算問你的立場屬於哪一邊，因爲你可能不肯對我講實話。就算你講實話，我也不相信。不過，簡單回答我這句話：你站在哪一邊，你自己知道嗎？」

他望著碧蒂微笑，不予回應。

第四章

軍火部位於大都會飯店，櫃檯由持槍警察站崗。在被政府徵收之前，櫃檯由嘴上無毛的青年坐鎮，即使連續五對夫妻以「史密斯」之姓登記住宿，第六對又自稱史密斯，訓練有素的他們也不能露出詫異的神情。假如客人表面上是有頭有臉的紳士，想款待的是身分落差奇大的外甥，要求投宿雙人房，櫃檯年輕人也不能大驚小怪。普萊爾走過前廳時心想，現在沒人玩得出這些花樣了。世風低落成這種地步，令人感嘆啊。

來到四樓，他敲敲婁德少校的門。少校正在閱讀一份檔案，見普萊爾進門，輕輕撫弄著八字鬍的尖角。大剌剌的八字鬍呈金紅色，散發絲質光澤，每當少校碰到新狀況，總會摸摸鬍子。普萊爾一反生物學的觀點，將這道八字鬍視爲女性化的裝飾品，原因或許是：鬍子需要的保護似乎太多了。

「過程怎樣？」少校問。

「相當順利吧，我想。她……一開始敵意滿強的，不過我認爲，後來她開始鬆懈戒心。」

「你提過邁克道伍嗎？」

「隨口提一提而已。我的考量是，最好不要……把焦點放在他身上。」

「嗯，對，很有道理。接下來呢？」

「我想見見荷娣．洛葡。她的小女兒。她曾經和邁克道伍走得很近，少校記得吧？」

婁德微笑。「走得很近？對。我只是在想，這種說法多古怪啊。咦，交往不是結束了嗎？荷娣是這樣告訴警方的。」

「我不相信。他們走得太近了。」

「對，好吧，你盡力看看。很好。」

普萊爾告辭，輕輕帶上門，同時心想，媽的，你趕快煙燻消毒辦公室吧。「這種說法多古怪。」嫌我措辭低級。普萊爾對著關好的門說，我可以買你，也可以賣你。婁德不懂狀況。婁德成年以後——童年也一樣——天天穿制服，過著制式化、紀律化、層級分明的生活，實在無法想像別人另有一套言行的情境。對少校而言，天下如同一大片西洋棋盤，林林總總的雜牌軍包含了貴格會、社會主義分子、無政府主義分子、婦女參政權分子、工團主義者、基督復臨安息日會，另外還有什麼，只有天知道。少校認爲，這些人只不過是精心編織的僞裝，背後潛伏著眞正的反戰運動，組織綿密，機密嚴守，辦事高效率，一心一意致力推翻政府，而婁德少校誓言維護政府。在棋盤的另一邊，叛軍的首腦是黑王，行蹤飄忽，百折不撓，生性凶險，全名是派崔克．邁克道伍。這當然不完全是無中生有。邁克絕對比多數反戰派的行動更立竿見影，只因他對於苦難缺乏浪漫情懷。可憐的邁克，他十歲不到，苦難就嘗得夠多了。

普萊爾順著同一道走廊，來到自己的房間，面積與少校的房間沒得比，幾乎不比碗櫥寬敞多少。照這種格局判斷，在戰前，這一間專門開給只花得起小錢做見不得人的事的人。他感到骯髒，灰頭土臉的髒，因為他搭長程火車回來。他望著洗手臺上方的小玻璃窗，看見臉上布滿髒污。他在不脫衣的前提下盡可能清洗，然後開始翻找檔案櫃，記下包含萊諾·史布拉葛報告的檔名，不一會兒便檢索完畢，把相關檔案丟到桌上。在史布拉葛進來之前，他可溫習檔案一小時。史布拉葛起初抵死不肯來軍火部，提議應該到軍火部外面，找個小酒館之類的地方面晤，但普萊爾希望初次會談在他的地盤進行。

這些報告他已經讀過幾次，因此現在只需溫故知新。他讀到碧蒂的檔案，讀到史布拉葛針對洛葡事件的報告，然後細讀史布拉葛的證詞。讀了一陣子，他抬頭，感到困惑，覺得房間裡多了一個陌生的事物。他四下張望，看不出哪裡起了變化，接著領悟到，變的是他的心境。他讀到現在，怒火才開始高漲。

萊諾·亞瑟·墨提摩爾·史布拉葛

宣誓證詞如下：

一九一七年二月二日。我目前受僱於軍火部。我在一九一六年七月一日進入軍火部，最近針對幾個組織進行調查，包括獨立工黨與反徵兵會，直屬長官是婁德少校。對我下命令的長官主要是他。

在一九一六年十月至十二月之間，我奉令前去利物浦，調查派崔克・邁克道伍。雪菲爾曾發生軍火部工廠罷工事件，邁克道伍是帶頭策動的首腦。我告訴邁克道伍，我想去曼徹斯特一帶，邁克道伍託我帶一封信給碧翠絲・洛葡夫人。在十二月二十三日前後，我在晚間抵達洛葡夫人位於索爾福德市汰特街十一號的商店，將信面交給她。洛葡夫人讀完信後留宿我，我倆握手言歡。她坐在桌子的一邊，我坐她身旁。當時她家另有一男子住宿，經她介紹是湯姆・布聯肯索，是一員逃兵。他後來才下樓。洛葡夫人詢問我的事。我告訴她，我基於道德因素反戰，沒獲得免役，九月逃兵至今。我告訴她，我曾經被關進拘留所，好像也告訴她，我在拘留所受到什麼樣的待遇。她聽了說：「就跟我家的威廉一樣。」她站起來，從抽屜櫃上面取來一張小相片，是她兒子威廉・洛葡的相片。她出示相片給我看，告訴我，在戰前，她積極推動婦女參政，曾經縱火焚燬一間教堂。我想她當時確切的說法是：「你知道聖米迦勒教堂的事嗎？我們差點被逮到，不過我們還是得逞了。」她笑笑又說：「我們做過的不只這樣。」她告訴我，她曾經與人共謀殺害首相勞合・喬治，計畫以鐵釘沾箭毒，從靴底刺進去，他踩到之後，腳皮被刺穿，預計立刻產生倦怠感，隨後痙攣。他們原本計畫在首相前往懷特島過夜時暗殺他。在首相投宿的旅館裡，有一位侍應同情婦女參政權運動。我問她，計畫為何沒成功。她回答：「那個該死可惡的混帳王八蛋溜去法國啦，不是嗎？」洛葡夫人的用詞多數時候相當文雅，但她一提起首相就髒字連連。我接著悉心調查洛葡夫人看待首相的態度。她數度表達首相應死的意見。我接著詢問她，除了勞合．喬治先生之外，還有誰應該死，她回答說：「有，另外那個喬治，皇宮裡的那個老皮條客，死了也不會有人懷念。」

我接著問她，她是說說而已，或者已有策畫。她回答：「我信得過你嗎？」我想我說的大約是，假如她信不過我，她的麻煩可大了。她接著說，她知道哪裡可以弄到箭毒，也知道渥頓希斯高爾夫球場很適合以吹氣槍制伏首相。她說，她認識三個倫敦的好青年，可以找他們辦事。她接著問我想不想加入，我當時認為，基於職責所在，為了取得進一步資訊，我必須首肯。那一夜，我在洛葡夫人家中過夜，隔天早上以密語回報給婁德少校的單位。

史布拉葛是個相貌英俊、紅光滿面、高大的壯漢，眉毛濃密，眼珠藍綠逼人，眼角向下彎，脖子與下巴頸肉發達，頭頸同樣粗，肩膀雄壯，毛髮從耳朵、鼻孔、袖口冒出來，精力旺盛如公山羊，旁人一看即知。普萊爾心想，碧蒂肯定會看上他。普萊爾這時起身去握手。他懷疑自己怎麼知道這一點，爲何如此在意。

史布拉葛在他的椅子坐下之後，普萊爾說：「勞駕你來這一趟，是因爲本單位想再借重你。」

他看著對方燃起希望之火。仔細再看史布拉葛，他發現史布拉葛給人的第一印象太好，細看才知道他的西裝有些磨損，襯衫袖口也脫了線。「軍火製造業當時發生不少動亂，你從報紙就能得知。尤其是你在北方待過很長一段時間，對不對？一九一六？」

「對，我——」

「和邁克道伍一起。他那時候剛從拘留所出來，我相信是吧？」

「對，他是逃兵。良心逃兵。他的個頭多高大，嘩，壯得像頭牛，卻不肯當兵，眼睜睜讓瘦巴巴的小兔崽子被送去法國。」史布拉葛的神態明顯緊張。「我大概沒辦法再接近他了。他知道我的身分了。」

「他是從洛蔔案得知的，對不對？」

「在那之前。」

「不過，你或許能提供高見。當然，你以前活動過的那幾區，我們會儘量避免再派你回去。」

史布拉葛一副如釋重負狀。

「你在一九一六年夏天認識邁克道伍，對不對？在雪菲爾？」

「對，我那時在調查工會代表運動（shop stewards / movement）事件。」

普萊爾故作參考筆記的姿態。「你借住在愛德華．卡本特家？」

「是的。」史布拉葛向前傾身，紅潤的臉汗光晶瑩，壓低嗓子，以邪惡的語調說：「卡本特具有同型相近的傾向。」

「據我相信是。」又是這句用語。難怪會深深嵌入碧蒂的腦海。顯而易見的是，史布拉葛直覺上的用語應該是「欠幹的死玻璃」。喜歡講「同型相近的傾向」的人是婁德少校。有一次，偏偏是在皇家咖啡廳大飯店，婁德告訴普萊爾：「英國快被擊垮了。對手不是德國，」——說到這裡，他捶桌強調，震得餐盤與刀叉騰空——「**對手不是德國**，而是一群烏合之眾，社會主義分子、雞姦犯、工會代表組成的雜牌軍。」普萊爾當時一聽，覺得自己不夠資格發表意見，畢竟他不曾擔任工會代表。「卡本特的傾向有關係嗎？」

「對我來說，關係可大了。他給我的房間沒鎖。」

「他不是已經八十歲了？」普萊爾說。

史布拉葛的身體在西裝裡面動搖著。「生龍活虎的八十歲。」

「隔天，你不是去參加一場聚會嗎？主持人是卡本特。」

「我跟卡本特一起去。」

「在他演說的過程中，他引述幾首……呃，你是怎麼稱呼來著？歌謠？詩？讚美同性之戀。」

「對。公開讚美。」

「是啊，那場聚會是公開的場合，不是嗎？會後，你們進入比較小的一間廳室，他把你介紹給幾個人，其中一位是歌謠的作者？」

「已故的美國詩人。」

「對。」

「惠特曼。」

「對。」

「惠特曼是美國詩人。」普萊爾等候史布拉葛張嘴。

「他當時氣色不太好。」

「一八一九年生，一八九二年逝。」

史布拉葛猛然擺頭。「唉，是嘛，要怪就怪錢吧。」

「是嗎？」

「一定是啦。照約定，週薪是兩英鎊十先令。他說，情資一定要好，一定要源源不絕。」史布拉葛往後坐，哼一聲，繼續說：「管它情資多好，我一直沒拿到兩英鎊十先令，沒有定時領到手。獎金倒是有。不過像那樣的小錢，東一分，西一文的，有什麼用？我是個顧家的男人啊。」

「不是有獎金可拿嗎？」

「偶爾有。」

「挖出特別的情資，才有獎金吧？」

史布拉葛遲疑一陣。「對。」

「碧蒂．洛葡的案子，你領到的獎金多高？」

史布拉葛再度遲疑，之後，顯然是認定講白了也不礙事，於是說：「不夠高。」

「不過，你照樣領到了？」

「對。」

「一次領齊？」

「收押時領一半，定罪再領剩下的一半。」

「她被定罪了，你有獎金可領？」

「喂，我知道你幹嘛問這個。你想說我做僞證。哼，我才沒有。爲了區區五十英鎊，我幹嘛冒險──會被判五年吧？廢話，我當然不肯。腦筋有問題才肯冒那種險。」

「或者是欠人太多錢。」

史布拉葛愣得直眨眼。「只因爲我拿惠特曼的事撒謊，並不表示我的每句話都是假話。那一份報告是我的第一份，我急著塞東西進去。」

「你從沒向洛葡夫人提起狗的事？」

史布拉葛比出不耐煩的手勢。「什麼狗？媽的，哪來的臭狗？拘留所裡面根本不用狗。你或許不知道，不過她很清楚。從英國大大小小拘留所出來的男人，她全問過了，知道裡面根本沒有狗。」他凝視著普萊爾。「你找她瞭解過了嗎？」

「我訪問過她，是的。」

史布拉葛再哼一聲。「我只能說啊，那個賤婆娘把你騙得團團轉。」

「我沒說我相信她。」

「她被定罪了。你相信她，也無關緊要。」

「以你就業的前途而言，關係可重大了。」普萊爾讓這句話沉澱。「洛葡夫人女婿寄給她的箭毒包裹裡附有一封信。」他把檔案遞給史布拉葛。「『如果妳夠接近那些壞東西的話，保證牠們二十秒之內死翹翹，我可憐牠們。』」

「那也只能證明女婿以爲是毒狗用的。她總要對女婿講個藉口嘛。」

「你仍然堅持說她計畫暗殺首相？」

「對。」

「暗殺的說法是她主動提起，而不是你？」

「對。她才不需要慫恿！」

「連細節也是她主動提起的？她甚至建議，渥頓希斯高爾夫球場很適合動手？」

「沒錯。」

「她怎麼懂得球場？她一輩子住在索爾福德的小巷子裡，哪曉得首相去什麼球場打高爾夫？」

史布拉葛聳聳肩。「看報紙讀到的吧？又不是國家機密。」他傾身向前。「告訴你，你最好當心一點。如果你暗指我是煽動陰謀的密探，你等於也暗示婁德少校僱用密探。假如少校知情，少校就是一個壞分子。假如少校不知情，表示少校是個傻瓜。不管他知不知情，對他的前途都沒有好處，對不對？你當心一點。到最後，你可能會發現，死得難看的人是你自己。」

普萊爾攤開雙手。「誰提到死得難看了？我是在約談新的僱員——我沒有合作過的僱員。而我也表明過——至少我希望我說得夠明白了——只要是發揮想像力，例如惠特曼死而復活的說法，我絕對追查到底。如果不是想像力太豐富，那……你用不著擔心。」普萊爾改以終於講到此次約談眞正目的的語氣，再遞給他一份檔案。「你對邁克道伍的認識多深，告訴我。」

榨取完史布拉葛的情資之後，普萊爾放他回家靜候召喚。其實史布拉葛供出的言語，普萊爾早已完全知悉。普萊爾靜靜坐一會兒，沒有動作，雙手撐著下巴。

「箭毒是用來毒狗的。」

「媽的，哪來的臭狗？你或許不知道，不過她很清楚。」

碧蒂蝸居汰特街角小店裡，是否曾想掙脫小圈子，企圖刺殺首相？在戰前，他所知的碧蒂不可能做這種事，但話說回來，碧蒂當時深居小團體裡。沒錯，是有人認爲她言行怪異——汰特街上的婦女如果參加爭取投票權的運動，無不被視爲怪人，但當年的她並沒有被孤立。被孤立是戰爭爆發之後的事。

戰爭開打不久，老小姐玻爾敦的迷你狗失蹤了。玻爾敦勤上教堂，嗜好是插花，熱心籌辦舊貨拍賣會，希望渺茫地暗戀牧師——至於希望多麼渺茫，或許只有普萊爾清楚。小狗失蹤時，普萊爾在家等候軍團召集令。他出門去為她找狗，最後在鐵路圍牆邊尋獲，狗被鐵絲綁在圍牆上，黑蒼蠅群聚飛舞，被開腸破肚了。牠是一條德國臘腸狗。屬於敵方。

在那種氛圍中，碧蒂鼓起勇氣反戰。顧客不再光顧她的小店。若非實施配給制度，她的全家人勢必餓肚子。磚頭不斷破窗而入，補不勝補，乾脆以木板為窗。屢次從遞信孔掉進地毯的是人屎與狗屎。在那種孤立的環境中，在那種半黑暗的世界裡，碧蒂藏匿逃兵，而在政府通過徵兵法之後，基於良知而反戰者不得免役，她也收容這一類的青年。直到有一天，史布拉葛帶著邁克的信，敲她的家門，才揭穿暗殺首相的陰謀——根據史布拉葛的說法是如此。

她有可能策畫刺殺首相的陰謀嗎？無權勢階級厭倦了任人擺布的生活，有可能幻想自己哪天變得神力無邊，普萊爾自認能體會那種心情。毛刷與烹飪鍋原本是苦日子的象徵，搖身一變，成了飛天帚與神藥燉鍋，而且不僅僅是迫害者才有的想法。起初，幻想只凝聚成狂言妄語，預言首相即將慘死，接著，史布拉葛出現了，從旁慫恿著——因為，無論碧蒂涉案多深，史布拉葛難辭其咎——碧蒂驟下決心，化想像為行動，誓言殲滅首相，因為她把延長戰事、斷送數百萬條生命的罪過推到首相身上。

史布拉葛的說法，婁德少校很容易照單全收。毒殺陰謀的種種特徵完全吻合他對反戰運動的成見。普萊爾認為，這兩人辦案的態度都不太依據現實。他從前以為，政治是利益衝突的互動，但從碧蒂案的角度觀之，本案與利益衝突比較無關，而是一場幻想錯綜交織成的災難。

他開始收拾檔案。在這種情況下，可確定的事實不多，能把握就把握，而他確定的是，史布拉葛出庭做僞證。既然史布拉葛是唯一證人，這表示他的信念並不可靠。

他鎖好檔案櫃與辦公室的門，走到走廊盡頭。電梯滯留在五樓，不上不下。他決定不等了，乾脆跑步下樓。來到夾樓平臺駐足，一如慣例俯瞰前廳。他喜歡想像這間大飯店在戰前的情景，一掃黑色與卡其色的單調。

他被某人的頭形吸引過去。是**查爾斯·曼寧**，正在等電梯，身邊人居然是邱吉爾與艾德華·馬緒。普萊爾旁觀著。曼寧的階級儘管低，在兩位高官之間卻顯得絲毫不侷促，角色絕非隨從，因爲三人彼此有說有笑。此外，在他們進電梯之際，馬緒一手放在曼寧肩膀上片刻。深藏不露喔，普萊爾邊想邊繼續下樓。「不愧是『關係』！」

普萊爾住在貝斯沃特區一間寒酸的地下室公寓。以他的薪水，他住得起高級一點的房子，但他寧可把錢花在量身精製的制服上，而特製制服並不便宜。他的臥房有兩道落地窗，外面是小院子，以高牆隔絕外界，也阻絕日光，因此他從來不想去院子坐坐，婉拒房東太太的好意邀約。圍牆高約十呎，塗著乳白色油漆，式樣繁多的容器裡種著奄奄一息的幾種乾瘦植物。

他的房間很小，呈L形，較長的一邊擺床，正對窗戶，床尾擺一張書桌和一張硬椅子。L形較短的一邊擺著衣櫥，櫥門嵌著一面橢圓形鏡子。除此之外，別無空間擺設家具。

浴廁在隔壁。他泡一個半冷不熱的澡，然後披上晨衣，躺在床上抽菸，累得無法構思正事，腦子卻持續呼呼運轉著。這種心境最容易導致失眠，他因無計可施而心煩，幾乎煩到快落淚。

他想起牢房裡的碧蒂。從史布拉葛敲她的門那天起，時光已過一年半。十八個月前，普萊爾在法國。十八個月前，威廉．洛葡在萬茲華斯拘留所。威廉的影像逐漸在普萊爾的腦海成形，細小卻強烈，宛如〈福音篇〉開頭的大寫字母。牢房裡的威廉一絲不掛，隨時有人從門中眼監視他，身邊的岩地上放著他拒穿的軍服。高高的小鐵窗亮著雪景反射進來的微藍光輝。

這幅影像的威力強大，對他強索憐憫，令他不禁憎惡。他刻意進入牢房，然後讓自己飄出鐵窗，飄進款款落下的雪。現在他置身法國，與弟兄同在，四方不設防。戰壕已被夷爲平地，無處可躲避冰風，無望可救回傷兵。也無水可飲，因爲水壺裡的水全結凍了。一隻老鷹一度飛越，黑影掠過雪地，成了死寂如月球表面上唯一的動作，唯一的生命。一小時又一小時的寂靜，雪花紛飛。隨即是桑德森扭曲的臉，驚叫失聲，大家正在切除他的綁腿布，因爲他的腿已經形成凍瘡。

睡不著。普萊爾坐起身子，開始閱讀《泰晤士報》，但文字模糊不清，碧蒂的臉孔取而代之，白髮散落在頸子四周。他閉眼。他推開汰特街店面時，鈴鐺響起。那年幾歲？四歲？五歲？一股貓尿臭。角落有幾捆柴薪，以瀝青繩綁著。碧蒂的貓總耐不住誘惑，喜歡在柴薪上留香。索爾普太太正在結帳，把小阿爾福放在櫃檯上。小阿爾福穿著堅固耐穿的靴子，盪著短短的腿，才三歲大，拿著菸屁股吞雲吐霧，在抽菸的空檔吸吮母親的乳房，吐菸、吸奶交替進行，從白色曲線的另一邊偷瞄普萊爾，因爲普萊爾是個大孩子，因而受他關注，挑起他的疑心。時間已近黃昏，索爾普太太早已醉茫茫。上等的苦啤酒是她的最愛，不時搭配幾小口藥水。她把藥水放在小壺裡，以自製的鬆緊襪帶束在大腿上，威士忌能強心，白蘭地能健肺，琴酒能保膀胱。小阿爾福大口吸吮著母乳，面露幸福狀。他當然樂陶陶了，因爲酒精含量少說也有七十度（譯註：相當於百分之三十五的濃度。）

往昔是一張可反覆塗寫的羊皮紙，普萊爾心想。早年往事總被日後累積的知識遮蔽。他強迫自己再走向櫃檯，這一次只記得當時的情景，小手將汗濕的硬幣放上涼涼的大理石櫃檯，推過去，問：「半分錢能買什麼？」

碧蒂圍著白圍裙，兩個口袋裡面被硬幣染成黑色。每當她把銅板倒在桌上數錢，總散發非常濃烈的氣味，一種陰濕、沉重的味道。

「半分錢能買什麼？」

碧蒂回答過一百萬次了，這時耐著性子，逐項朗誦出來：洋茴香糖果、冰沙果汁糖、甘草糖棍、一包一千零一糖，最後是他最喜歡的——因爲久含不化——堵嘴丸。

塔伍斯的眼珠在他的掌心裡。「叫我怎麼處理這顆堵嘴丸？」最後羅根伸出手，握住普萊爾顫巍巍的手腕，傾斜他的手掌，讓眼珠滾進沙包。

別想那件事，普萊爾督促自己。時辰太晚了，想那件事的後果不堪設想。

他不記得碧蒂的臉。碧蒂在當時是一件物體，是一座高山，是房屋的一邊，體積龐大，令人見久成自然，不會把她當成一個適用形容詞的人。但他現在能輕易想出許多形容詞：活潑、有主見、充滿智識、教育程度低、口出穢言、衝動、慷慨、易怒、親切。普萊爾的母親個性溫柔，更不容忽視的特質是溫文儒雅，她討厭碧蒂。然而，母親病倒時，疑似感染肺結核病，卻偏偏把他送去碧蒂家託養，想必是父親的決定。

在普萊爾五、六歲的時候，他在碧蒂家住了將近一年，與碧蒂的兩個女兒一同玩耍。大女兒溫妮如今在里茲監獄服刑，次女荷娣則因串謀殺人而遭起訴，最後獲得無罪開釋。她們玩家家酒時，普萊爾扮演小貝比；她們玩商店遊戲時，他扮演顧客；她們玩上學遊戲時，他扮演學童；她們玩護士遊戲時，他扮演病患。這些角色全都極為枯燥，例外的是，有時候扮演病人有點好玩。

三個小孩常躲在廚房大桌底下玩，因為桌布邊緣垂掛著綠流蘇，為他們創造一片與世隔絕的天地。尤其是在大掃除的日子，全屋被蘇打、Dolly Blue潔白精、濕羊毛布的氣味入侵，強風把院子裡的砂石颳進來，這時桌底世界成了他們的避難所。他們從綠流蘇之間向外望，看見成年人的靴子來來去去，權力感油然而生，欣然自得。

喀爾克先生的靴子。喀爾克是獨立工黨的祕書長，有時會上門，坐在桌子前討論政治，內容太高深，小普萊爾聽不懂也摸不著邊際，但他記得喀爾克先生的一句話，大致上是說，婦女參政運動根本是在利用碧蒂這一類勞動階級的婦女。「高談姊妹齊心大團結，很中聽沒錯，不過她們晚上回家，脫掉底褲，替她們撿底褲的人全是勞動階級。」

或許是提到脫底褲，普萊爾對這句話的印象特別深刻。也可能是提到底褲，喀爾克先生的慾火燃起，因爲不久後，他的靴子在地板上潛行，磨蹭著碧蒂的腳丫。她把腳挪開。男靴跟進，這次伴隨一手，落在她的膝蓋上，微微撥開綠流蘇。小普萊爾轉頭，看見荷娣滿面驚愕。這家子沒父親，所有小孩的護母心重，尤其以荷娣爲最。普萊爾領會他人的心痛，或許這是今生頭一遭。他偷偷伸手過去，把喀爾克先生的雙腳鞋帶綁在一起。聊完了，喀爾克先生起身告辭，一時沒站穩，整個人栽在地板上。

碧蒂的觀念先進，唯獨一種心態例外：管教兒童。她把小普萊爾從桌底拖出來，把他壓在自己的大腿上，狠狠抽他的屁股。他緊緊咬牙，一方面因代荷娣受苦而感到痛快淋漓，另一方面遺憾這種受苦的方式太丟臉了。

普萊爾應徵這份工作時，婁德少校俯身向桌面，問他：「你應該**認識**這些人，對吧？」

普萊爾抽最後一口菸，轉向床緣，在菸灰缸裡捻熄菸頭。**對**。

他把窗簾合起來，鑽進被單。他害怕睡著，但他從長年的經驗得知，熬夜不睡卻在破曉之前睡著，惡夢最嚴重。他躺著凝望天花板，不眨眼，直到眼瞼如針刺，然後翻身側躺，把雙膝縮至下巴。

他重返冬景，聽見近似颱風的聲音，卻不是風聲，而是空虛的聲音。一隻老鷹飛越，他望著影子掠過雪地。他們正要行軍回戰壕。他的靴子踩破泥巴表面的薄冰，冰面以他的腳爲圓心，濁白的裂紋向外輻射，他等於駐足在冰網的中央。

他被凍醒了，半睡半醒。他發現一腳露在棉被外，把腳縮回來，但現在渾身都冷。他正赤裸躺在岩地上。由於他處於淺眠狀態，他自知正在做夢，也知道必須趕快清醒，以免碰到壞事。他翻身，看見一顆眼珠在監視他，不是畫，而是活生生的一顆眼球，眼白被月光照得發亮。他在法國戰場聽過的空虛聲尾隨他進了牢房。他凝視著眼珠，然後鼓足了意志力，強迫自己坐起來。

他汗流浹背，皮膚濕冷，伸手下去想拿香菸，然後想起睡前把菸留在桌上。他爬起來，摸黑前進，不想開燈，因爲惡夢的效應沉重，他害怕燈一開，恐怕惡夢再現。他站在桌子旁邊，在半暗的環境裡，摸索著桌上的紙張，尋找那包香菸，這時聽見嘿嘿笑聲，趕緊轉身。門中眼正在看他。他縮回桌子旁，雙手向後摸索著美工刀。他握住刀柄，衝向門，對準眼珠戳了再戳，血濺他一絲不掛的身體，某種白白的濃液黏在他的肚皮上，不往下流，迅速冷卻。接著，他累得坐下去，躺在地板上，啜泣著，哭聲吵醒自己。

起初，他只是凝視著門。確定門上無眼，他才開始放輕鬆，審視目前的姿勢有何怪異之處。他以右手指尖點一點冰冷的油布，彷彿這麼一觸碰，就能把油布變成床墊與床單。不對，他不在床上，現在躺在地上。做惡夢了，他想著，深吸一口氣。他開始撐起身子，感覺下體一片濕，這時張開的手指摸到美工刀。原來剛才是眞的。一股反感直沖腦門，他甩掉刀子，讓刀子彈跳過地板。

第五章

這座航空站有兩條跑道，在空地一角有一排間隔不一的矮樓。

瑞佛斯與丹達思下車，站著仰望天空：遠遠的天際有一大團黑雲，除此之外一片晴朗。

「反正很適合飛行。」丹達思說。

看得出他在害怕。瑞佛斯之所以看得出來，只因他已密切觀察丹達思數週之久。丹達思的症狀是飛行時出現異常反應，在健康飛行員毫無異常感覺的狀況下，丹達思會報告說他覺得頭被壓縮進體內，或者雙腳無法移動。他也有反胃的症狀。更嚴重的是，他不只一次體驗到暈眩的初步症狀。他接受過各種身體檢查，查不出生理上的疾病，因此轉診心理科，由瑞佛斯主治觀察。遺憾的是，瑞佛斯也一籌莫展。在皇家飛行軍團醫院，瑞佛斯碰到的青年多半是快活、親和、稍微不負責任的一型，丹達思似乎與這些人沒兩樣。除了飛行之外，他的主要興趣是業餘話劇、音樂與女生，喜歡的順序不盡然如上。表面上看來，他其實完全正常，坐進飛機，才會出現異狀。而瑞佛斯與他來航空站，目的正是進一步觀察。

「我們好像來得有點太早，」丹達思說。「你要不要喝杯茶？」

福利社裡的人不多，只有一群年輕飛官，在遠遠的角落圍坐一桌，多數人二十幾歲，薑黃色頭髮的一位明顯比其他人年輕。丹達思去端茶水，瑞佛斯找了一桌坐下，整個桌面是一圈又一圈重疊的杯底環漬。年輕飛官們正在閱報，瞎扯著時事：德軍大舉進攻、茉德．艾倫告潘波頓．畢陵毀謗、陰蒂崇拜會。一位黑髮青年舉起茉德．艾倫的相片。「如果她喜歡大一點的，隨時歡迎她來敲我的門。」

「找上你，她感覺不出差別在哪裡喔。」有人說。

打打鬧鬧一陣。接著，另一人出聲：「阿布馬爾伯爵講過一句話，你們聽過沒？有天他走進牛津的塔夫小酒館，說……」改以蒼老貴族的尖嗓：「『老在報上讀到一個姓陰蒂的希臘傢伙。有人知道他是何方神聖嗎？』」所有人哈哈大笑，最年輕的一個的尖笑聲中隱含苦悶，令人一聽即知他至少與阿布馬爾伯爵同樣懵懂。

丹達思端茶回來，也端來兩個非常油膩的甜甜圈。

「我不吃，謝謝你，」瑞佛斯說著拍拍肚子。「不當心不行。」

丹達思點頭不解。顯然，他的經驗與十二指腸潰瘍、謹慎飲食相差十萬八千里。兩個甜甜圈下肚，他吃得津津有味。瑞佛斯小口喝著茶，儘量不去想一件事：如果丹達思的病歷可靠（天啊，不可靠還得了！），下肚的甜甜圈很快會從嘴裡吐出來。

兩人聊得不起勁。丹達思太緊張了，而瑞佛斯尊重他沉默的需要。喝完茶，他們一同走向飛機庫。丹達思走進第一間飛機庫，之後帶回兩套飛行安全帽、夾克與臂套。瑞佛斯穿上夾克，跟隨丹達思走向飛機。

「就是這一架，」丹達思拍一拍機身說。「老得不像樣。搞不懂他們爲什麼把這架派給我。」

因爲摔這一架的代價最輕，瑞佛斯心想。他本想說出這句話，當成兩人心照不宣的笑談，想想之後卻發現自己與內心的恐懼打了一個照面。

「好了，」丹達思說。「跳進去吧。」

瑞佛斯爬進觀察座，繫好安全帶。丹達思彎腰檢查他的扣環，淡淡一笑，表示他體會到兩人的角色互換，現在換他關懷醫生。「好了嗎？」他說。

「可以了。」

「你坐過很多次飛機了吧？」

「不見得『很多』。是坐過幾次。」

「你嘗過繞圈圈、上沖下洗之類的動作吧？」

「對。」

丹達思微笑。「那就好。」

丹達思的微笑夾帶某種意義，令瑞佛斯不禁留意。瑞佛斯突然敢確定，丹達思保留了某件事不談，甚至有可能刻意隱瞞。不是裝病。與裝病正好相反。瑞佛斯想到，丹達思自述症狀時，可能儘量輕描淡寫。在緊要關頭領悟這一點，滋味並不好受。

丹達思戴上安全帽，坐進駕駛座，與機師互相吶喊揮手一陣，引擎嘟嘟啓動，開始呼嘯，然後從飛機庫滑行而出。

瑞佛斯左顧右盼，見到花朵怒放的樹籬笆、漫天亂飛的雲雀。接著，他戴好護眼罩，繽紛的色彩頓時收縮成一灘泥塘。

他現在是眞正害怕了。這種狀況幾乎可算是一個小實驗，受測者是他自己。正常人面對恐懼時，正常的反應是做某種自欺的活動，以迴避或中和危險。如果當事人能從事這種活動，當事人應該意識不到恐懼感。可惜，瑞佛斯無福從事這一類的活動。他與坐在觀察座上的任何人一樣，命運全握在機長的手裡。而這位機長不是普通的機長。長久以來，瑞佛斯相信，觀察員與戰壕軍人之所以最常罹患戰時神經官能症，其原因追根究柢，正是這兩種職務的本質特別被動、依賴他人、無法移動。一般而言，科學人在腦皮層構思出的假設不會透過胃腸來體現，但瑞佛斯的胃腸現在似乎正盡其所能，極力激盪著，以證實大腦的假設。他咬唇控制胃痛，拚命專心瞪著丹達思安全帽的後面，看著從安全帽下鑽出來的幾撮金紅色頭髮、粉紅色的頸背、白圍巾的邊緣、舊痕新傷遍布的褐皮飛官夾克。

「準備好了嗎？」丹達思大喊。

飛機滑行至起飛位置。引擎高速運轉。座位震動著，瑞佛斯感覺被人用力推向椅背。機頭抬升，震動幾下，再一次拉起，接著陡升，告別簇擁成群的建築。

他從一邊向下望，遮嘴避風。鄉間田野在底下綿延擴展，穿插著灰色的巷道、一座波光粼粼的池塘、成排盛開的金鏈花樹、一行開滿白花的樹籬、一縷燒垃圾的藍煙飄過綠麥田。

丹達思正在比手勢，把瑞佛斯的思緒引回當前的要務。丹達思以手比畫著繞圈的動作。引擎穩速運轉的轟轟聲結巴起來，變成討人嫌的蚊蚋聲，飛機這時兜著圈子。丹達思定睛注視著儀錶。瑞佛斯看著太陽以大圓形環繞著下墜的飛機。倏然間，太陽不見了，綠麥田對準他們直衝而來。丹達思猛拉操縱桿，某種儀器卻失靈了。地平線傾斜。瑞佛斯靠向前，平舉一手左傾。慢慢地，地平線打直。

丹達思已經失去水平感。才起飛不久。

「剛才怎麼了？」瑞佛斯高喊。

丹達思揮揮一手，表示不解，然後一手壓在頭頂，反覆向下壓，意味著剛才覺得頭被壓進身體。他又比畫著繞圈的手勢。瑞佛斯搖搖頭，比著折返的手勢。遲疑幾秒後，丹達思豎起拇指。

飛機陡然傾斜，丹達思轉彎飛向倫敦。原訂行程裡沒有這一項，瑞佛斯猜想，丹達思是想儘量延長飛行的時間。不久後，他看見硫磺煙霾籠罩的倫敦。在德軍飛行員進行月夜空襲戰的時候，循著泰晤士河形成的銀線條前進，數著橋梁，尋找河道在犬島的曲折處，見到的也是瑞佛斯眼前的景物。

瑞佛斯拍拍丹達思的肩膀。丹達思轉過頭來，點了點頭，他的臉孔大多被護眼罩遮住，無法解讀他的表情。瑞佛斯往後坐，再次專心觀察自己的感覺。繞到第五圈時，他開始覺得排便快失禁了。前幾次搭飛機時，他也有過類似的反應，知道這是健康的乘客常有的現象，但並非人人皆然。航向恢復直線之後，一翼又向下偏斜。丹達思倚向機身，乾嘔一陣，並沒有嘔吐。瑞佛斯以拇指往下猛比，但丹達思不理會。

接下來丹達思會表演什麼飛行動作，瑞佛斯不得而知，只好乖乖坐著，儘量放輕鬆，看著飛機爬升。大片藍靄籠罩的倫敦漸漸從左翼末端遠離。愈來愈高，愈來愈冷。朵朵薄雲遮蔽太陽；一束束的雲影飛掠。瑞佛斯忽然覺得內心祥和。比墜機更慘的死法多的是，多數他都親眼見識過。

引擎又開始打盹，漸漸慢成蚊蚋聲，飛機隨之開始降落。兜圈完畢後，丹達思臉色蒼白，頭暈目眩，意識混淆，顯然難以集中注意力在儀器上。瑞佛斯看得出他茫然凝視著儀錶，於是高喊，「**降落！**」手指往地面猛比畫。丹達思探頭至機身外嘔吐。

降落時顛簸不順，但瑞佛斯碰過許多更顛簸的降落方式。飛機滑行停止之後，丹達思待在座位上，幾秒鐘之後才跳出駕駛座，有點重心不穩，趕緊抓住機翼。瑞佛斯下飛機，立刻走向他。

「我沒事。」丹達思說，放開機翼。

兩名機師走向飛機，丹達思轉向他們，對他們講幾句話，說明剛才飛行的情形，三人聚在一起討論著，瑞佛斯站向一旁。丹達思談笑風生，但話說回來，丹達思的演技精湛。

討論完畢，他走向瑞佛斯，說：「剛才抱歉了。」

「要不要去坐一下？」

丹達思望向福利社，搖搖頭。「我想儘快回去，希望你別介意。」

兩人走回停車處，瑞佛斯的雙腿直打抖。他氣自己氣成這樣——憤怒、羞慚。剛才明明嚇破膽，現在卻假裝自己沒有那麼膽小。他觀察著自己的反應，心想，以現在的倦意與病徵，很適合焦慮官能症形成，而且他目前的言行也最容易促成病發。叫病人別做的事，自己偏偏做：壓抑恐懼感。

開車回醫院的途中，丹達思詳細反省個人反應。在兜第一圈的過程中，他除了覺得頭被壓進身體，也覺得想吐。「不盡然是想吐，比較像喉嚨哽著一團東西。後來，在翻筋斗的期間，我才覺得眞正想吐。而且頭暈。天空變暗了。」

「兜最後一圈的時候呢？」

「好恐怖。我完全不懂狀況。」

瑞佛斯在醫院玄關告別他，然後回自己辦公室，把帽子與手杖丟向椅子。不久，亨利．海德來了。「他的情況怎樣？」

「很差。」

「吐了嗎？」

「而且頭暈。」

「你不要緊吧？」

「沒事，只是罹患強顏鎮定症的末期。我不是常勸病人不要壓抑恐懼嗎？結果自己呢？」他攤一攤雙手。

「是貴族學校的因子在作祟，老瑞。我們全被調教得太乖了。」

「作祟的是蠢老笨蛋因子。整天和太多年輕人相處。」

海德微笑。「唉，我能體會你的心情。誰願意露出一副老態龍鍾的模樣呢？」

「上飛機前，我突然覺得，丹達思對我有所隱瞞，所以更——」

「他確實是。」

瑞佛斯面露驚色。

「他在置物櫃裡藏了一瓶邦氏淋菌性尿道炎良方。」

「眞的？」

「被米契爾修女發現的。梅毒不會害他頭暈吧。」

「爲梅毒失眠煩惱才會。」瑞佛斯坐著不語，片刻之後開口：「這麼一來，不得不稍微調整調查的方向吧？」

「變得單純太多了。」他改以士官長的低音說。「『小子，露鳥吧。』你要來我們家吃晚餐嗎？」

「好，不過飯後我有事急著走。八點約了人。」

瑞佛斯住在漢普斯特德荒野公園附近一棟大房子的頂樓，大砲臺近在不到一百碼，距離之近引發的憂愁不時呈現在他的皺紋裡。

普萊爾準時前來，一分不差，正要按鈴，看見瑞佛斯匆忙踏著上坡而來。

「你按鈴了嗎？」瑞佛斯邊掏鑰匙邊問。

「沒有，我剛看見你走過來。」

瑞佛斯開門，靠邊讓普萊爾先進去。房東太太爾文夫人在走廊徘徊，想找人訴苦。三樓住著一對比利時難民，不體諒糧食短缺之苦，害她日子難過，她常找瑞佛斯發牢騷。這話題枯竭之後，又有空襲的話題可訴苦。吵得市民整晚睡不著，隔天《泰晤士報》卻一字不提，豈有此理嘛？接著是談她女兒的事。女兒旅居法國，回國據說是照顧母親養病，其實是母親手下的女傭出走，忙不過來，所以召回女兒。她僱的女傭一個接一個走，藉口是軍火工廠的薪水是幫傭的五倍。她說，現代的女孩呀，難以捉摸。而且呀，法蘭西絲的情緒喜怒無常啊。

最後，有人叫走爾文太太，想必是法蘭西絲，總之是一位紮辮子的小姑娘，在關上大客廳的門之前，對著瑞佛斯投以冷淡一笑，以示同情。

「希望她免費讓你住這裡。」普萊爾說。

瑞佛斯帶他上樓，在三樓駐足片刻，俯瞰花園說，金鏈花開得特別棒。瑞佛斯怎會突然對園藝感興趣？普萊爾不相信。駐足的用意是讓普萊爾多歇幾口氣。與上次見面比較起來，這次普萊爾的胸腔更緊，醫生無疑留意到了。可惡的瑞佛斯，他暗罵，卻也明瞭，這種反應太不公道了。每次他需要瑞佛斯幫忙，就對瑞佛斯一肚子火，通常憤怒到無法啓齒談心事的地步。普萊爾今晚不肯讓相同的現象發生。

通常，普萊爾會先顧左右而言他，久久才帶入正題，但今晚他一坐進椅子，立刻敘述探監的經過。記憶最鮮活的一幕是門中眼。普萊爾反覆追憶這一幕，提及門中眼畫得多麼細緻，連虹膜裡的脈絡都清晰可見。他也提到，排泄桶放在窺視孔看得見的範圍之內，牢房裡的人辨不清門中眼的另一邊有無人眼。從普萊爾的表情，從他整體的儀態，明顯可見的是，他談論門中眼的同時，門中眼歷歷在目。別人提及鮮明的視覺感應時，瑞佛斯總豎耳聆聽其中的現象，因爲他個人特別欠缺視覺感應的能力，總覺得以前視覺感應易如反掌，如今卻覺得非常複雜。他把注意力轉回普萊爾，堅定不移，幾度詢問他與碧蒂．洛葡從前的關係，然後凝神聽他敘述夢魘。普萊爾講完後，他問：「那顆眼珠是誰的？」

普萊爾聳聳肩。「不知道。我哪曉得？」

「夢是你做的。」

普萊爾深吸一口氣，不願深究那一件至今仍令他胃腸翻攪的往事。「最明顯的關聯應該是塔伍斯。」

「你一直回想那件事嗎？」

「我去探監時，在牢房裡想起那件事。我……我是眞的看見那一幕出現在眼前。後來，我想起小時候的一件事。我常去碧蒂的店面買堵嘴丸。」他停頓一下。「不曉得你記不記得，我把塔伍斯的眼球撿起來的時候，曾經說：『叫我怎麼處理這顆堵嘴丸？』」

「我記得。」

沉默良久。

瑞佛斯慢吞吞說：「一顆眼睛讓你想起另一顆，純粹是因爲兩顆同樣是眼球嗎？」

普萊爾又擺出誇張的聳肩動作。「大概是吧。」

沉默。

「我不知道啦。當時是在牢房裡，不過後來……我不知道。我當時知道，今晚肯定睡不好。那那種感覺可以直接體會到。我那時爲碧蒂難過。接著，我開始想到威廉的處境——碧蒂的兒子。我想到威廉光著身體在牢房裡，石地板，外面在下雪……」他搖搖頭。「那種感覺……相當強烈，而我……我好像很憎恨那種感覺。我憎恨自己的同情心被操縱。因爲，裸體睡地板，有啥了不起的？」怒火突起。「**我有三個弟兄被凍瘡害死了耶**。所以，我開始想到那裡，想到那些弟兄……好像以這種心態說著：『好了啦，威廉，屁股被凍痲痺了，算你倒楣。』只不過，這兩種事當然不相干。」他挖苦地笑笑。「又不是比賽誰吃的苦比較多。」

「接著，你想到塔伍斯？」

「對。不過，和……和和其他弟兄不一樣。我是說，我沒有聚焦在那件事的慘狀。而是……我不知道。」他對瑞佛斯伸出一隻手，掌心向上。「一種護身符。你懂我的意思嗎？如果你也碰到**那種事……**」手開始顫抖。「效忠哪一邊就毫無疑問了。」

普萊爾看著自己抖動的手，似乎首度意識到手在顫抖。他嚥嚥口水。「抱歉，我馬上回來。」他衝出辦公室，門外傳來連續開門關門的聲響，是他急著尋找廁所的聲音。瑞佛斯起身想幫忙，這時聽見嘔吐聲，緊接而來的是嘩嘩水聲，隨後又是一陣嘔吐。普萊爾不想被人看見狼狽狀。瑞佛斯坐回位子。

看樣子，今天看病的主題是看人嘔吐。

他握著雙手，抵住下巴等候。當初他在奎葛洛卡，費了兩個月的苦心，才誘導普萊爾回想拾獲眼珠一事，而且是靠催眠術才有的進展。瑞佛斯總到無計可施時才考慮動用催眠。普萊爾住院之初無法言語，態度叛逆，可能是瑞佛斯治療過最不肯合作的一個病人。而且，普萊爾非常顯著的一種傾向是刺探醫師的隱私。堅持雙向交流的關係。他罵瑞佛斯充其量是「能感同身受的壁紙」，而且問瑞佛斯，壁紙有屁用。後來，此事成了兩人之間的笑話，但普萊爾的刺探從不間斷，態度是譏諷式的打情罵俏，出奇地難以招架。

普萊爾的夢魘做得驚心動魄。他總是堅稱惡夢做過即忘，顯然是搪塞之詞。最後，他以自嫌的語氣冷冰冰說，他夢見屠殺與碎屍時，也會出現遺精的現象。

吐完後，普萊爾回到辦公室。「不好意思，」他隨口說，坐回剛才的椅子。

他剛才沒能及時衝進廁所，制服上衣的正面濕了一大片，留下海綿擦洗過的痕跡。他發現瑞佛斯注意到濕痕，臉皮緊繃起來。瑞佛斯猜，出醜被我看見，他一定會逼我付出代價。這其中的邏輯何在，沒必要去質疑。普萊爾就是這種人。「要不要休息一下？」瑞佛斯問，想紓解緊張的氣息。

普萊爾點頭。

「我們去壁爐旁邊坐吧。」

兩人離開辦公桌，在扶手椅坐下，瑞佛斯摘下眼鏡，一手抹過眼睛。

「累了嗎？」

「稍微。套一句房東太太的說法，我們昨晚發生了『自家空襲警報』。據說有人突然恐慌，到處亂開槍。」

兩人凝望著爐火，沉默片刻。普萊爾說：「前幾天的一個晚上，我碰見你的一個病人。查爾斯．曼寧。」

瑞佛斯開始清理鏡片。「我呃——」

「不能談論其他病人的事。對，你當然不能。不過，他倒是談得很起勁。你知道嗎，他提起你的大名，我第一個反應是『戰時神經官能症』——沒錯吧，他的確偶爾有抽搐的現象。可是後來我判斷，顯然不是神經官能症。他碰到一個英俊的軍人。警察的髒手按在他的肩膀上。轉眼之間，他需要治療了。那個醫生，叫什麼名字來著？對了，亨利．海德。『亨利．海德能治好雞姦慾。』所以他去找海德，被告知：『對不起，我是很想幫忙，可惜被壓得喘不過氣。』敢情是被雞姦犯壓垮了。令人難以置信啊，對吧？『建議你去試試看瑞佛斯。』」普萊爾等著。見瑞佛斯沒反應，他繼續說：「曼寧提到自己的小癖好，倒是滿坦白的。據說他喜歡腳丫多汗的蘇格蘭步兵團員。有些人對蘇格蘭高地軍團培養出眞情，讓人好感動，不是嗎？我在想，瑞佛斯……」普萊爾抿抿唇，發出一點嘖嘖聲，看似教授在思索一道特別深奧的難題。「有人如果專愛腳丫容易冒汗的蘇格蘭兵，你會怎麼去『治療』？」

瑞佛斯冷言：「我會用石碳酸皀去治腳。」

「眞的嗎？超前佛洛依德醫生一大截喔。」

瑞佛斯向前傾身。「住嘴。海德醫師『喘不過氣』，是因爲忙著照顧頭腦被炸掉大半邊的年輕人。在理性的社會裡，像海德那樣白天照顧病患的醫生，下班以後，在自己的空閒時間裡，碰到完全可以獨立過生活的人，一定不肯陪他們瞎耗時間。我肯在晚上抽空看診，是對海德表達敬意。」

「他是你的朋友？」

「對。」

「他可以拒絕接受病人吧？」普萊爾問。

「不能。別忘了，兩年苦役刑。」

短暫沉默一陣。「對不起。」

瑞佛斯攤攤手。

但普萊爾不肯就此罷休。「再怎麼說，有些時候，病人總有必要談到另一個病人的事。我是說，像蘇格蘭兵那樣的話題，明顯只在床上才可能提到，對吧？」

「我不是沒想到過。」

「假如我想談這檔子事呢？假如罪惡感折磨得我受不了呢？」

「眞的嗎？」

「重點是——」普萊爾倏然死心。「沒有。在性的方面，我好像沒有罪惡感。一點也沒有，眞的。什麼事都不會。」

騙人，瑞佛斯心想。夢魘導致遺精，確實在普萊爾心中產生莫大的罪惡感，自慚於一種非自主的行爲。

「我以前有。」普萊爾說。

「什麼時候？」

「十二歲那年。我們家附近有個年輕人，坐在手推車裡，常被人推著走。他是哪裡出了毛病，我不清楚，大概是脊椎結核病之類的，大概是什麼重病。總之，手推車吱嘎響，車還沒出現，我們大老遠就聽得見。大人常以他爲例子，警惕我們不要沉溺於自瀆，以免跟他一樣。」

「是誰說的？」

「童子軍團長。海爾士先生。他居然說，射出來的東西是脊椎液，每個人的庫存量有限，而我的庫存耗損得很快。我那時常躺在床上，儘量不要自摸，越想越害怕。可惜，頭腦想排除恐懼，只有一個辦法。所以我又自摸了。每次自摸，手推車的吱嘎聲就越走越近。據說，病倒的初期症狀是臉色蒼白，眼袋深重。所以我早上起床，第一件事就是去照鏡子，結果看見什麼？哇，臉色蒼白。眼袋深重。」普萊爾笑了起來。「現在覺得滑稽，不過那時候，我有一次竟然動了自我了斷的念頭。」

「你怎麼排除自殺的念頭？」

普萊爾微笑。「不是我，是一個名叫派崔克．邁克道伍的人。」

「策動雪菲爾罷工事件的那個人？」

普萊爾笑容更燦爛了。「對，後來是。在我們那時候，他忙不過來。我們的說法是，他忙著『打主教』。邁克褲襠裡的主教比其他小孩更常挨打。他常常一時興起，差不多是當著大家的面，掏出來打。而他卻長得比大家還高還壯，所以我們開始對大人的說法產生疑心。後來呢，童子軍團長說，想維持純潔之身，可以在床邊準備一杯冷水，誘惑攻心的時候，可以把『腫脹的器官』——他老是用這種代名詞——浸在水裡。我把他的說法講給邁克聽。邁克是粗人，不參加童軍團。結果邁克說：『都硬起來了，怎麼伸進水杯裡？水不會灑一地嗎？』我突然想像到，可憐的團長拿著杯子站著，把軟趴趴的『器官』浸在水杯裡。團長肯定是睜眼說瞎話。可憐的老混帳，一定是忘了勃起的陰莖長什麼樣子。總之，從那時候開始，我完全沒有罪惡感了。終身庫存量被我在六個月之內消耗完畢。」

「你和邁克道伍的友誼密不密切？」

「你指的是，我們有沒有——」

「不是，我——」

「對，是很密切沒錯。那個年紀大概是。」

普萊爾的神情鬆懈多了。「你想不想繼續談？」瑞佛斯問。

微微遲疑。「不想，不過我認爲繼續比較好。」他無言片刻，接著，他以雙手指尖撐成尖頂，斟酌著說法。他說：「人之所以做夢，是試圖化解衝突，對吧？我倒看不出這個夢的衝突在哪裡。」

「你猛戳別人的眼珠？」

「瑞佛斯，我戳的是門。」

「那顆眼睛是活的？」

「對。」

「那你爲什麼說沒有衝突？」

「因爲我很認同威廉、碧蒂和……不曉得啦。大概是威廉吧，因爲我沒穿衣服。在我看來，他們的處境最慘的一點就是門中眼，他們被它全天候監看，所以我才出手攻擊它。所以我看不出衝突在哪裡。我是說，在眞實生活裡，也許很不湊巧吧，不過在夢中，我站在哪一邊是無庸置疑的事。我跟他們站同一邊。」

瑞佛斯等著，等到普萊爾明顯不再進一步陳述時，瑞佛斯說：「你說，他們處境最慘的一點就是門中眼？」

「對。」

「全天候被監視？」

「對。」

瑞佛斯輕聲問：「你去碧蒂的牢房探監時，監視她的人是誰？」

「我——」普萊爾扭曲嘴唇。「是我。」

再一次停頓。瑞佛斯從旁催他。「所以呢？」

「所以，」普萊爾以誦經的語調，口氣充滿厭煩，食指猛戳空氣，說：「『眼』（eye）戳著我自己的『我』（I）。做這種事，傳出去了，那還得了！」

停頓一陣。瑞佛斯問：「你有什麼感想呢？會不會覺得……」

「有可能吧，我想。我恨我做的事情。我想，我八成覺得自己站錯地方。我顯然有站錯地方的感覺。如果沒感覺，那我肯定腦筋有毛病。」

「你幫我做一件事吧，」瑞佛斯說。「我要你把夢寫下來，只要是……跟這個夢一樣恐怖的夢，全寫下來。直接記錄下來就好，不要想去分析，然後寄給我，我們下次見面的日子是這星期——」

「不行，對不起，我沒辦法。下星期才行。你方便嗎？我想去見荷娣・洛葡。」

「回去索爾福德？你想去哪裡過夜？」

「回老家囉。」他的臉垮下來。「對啦，我知道。不然我又能住誰家？」

瑞佛斯點頭。普萊爾的雙親曾去奎葛洛卡軍醫院探病，瑞佛斯記得那天下午的情景。原本普萊爾的病情稍見起色，沒想到父母一來，病情不但退回原點，更誘發氣喘病。「你父親知道你在做什麼嗎？我是說，他知不知道你的工作內容是什麼？」

「天啊，希望他不知道。」普萊爾不安地移動坐姿。「瑞佛斯，這是一場低級的小戰爭。我敢老實說我寧願被送去法國戰場。」

「對。我相信你有這種心願。」

普萊爾以尖銳的神情看他。「你在擔心，對不對？爲什麼？因爲我要回家了？」

「不盡然。」

「喔，原來如此。對，我做的是自殺夢。」表情變了。「你放心吧。碰到這種事情，我跟頭的人**絕對不會是我**。」

他突然變了一個模樣，變得熱切、警覺、冷漠、機靈、事不干己、狡詐、不擇手段。瑞佛斯頓悟了。他見識到普萊爾的面對外界的面具，也許這是頭一遭。在奎葛洛卡，普萊爾充滿侵略性，言行狡詐，但他的處境總是相對地無助。住院期間，他有時令瑞佛斯聯想到幼童，緊抓著父親的袖子不放，用意是想對父親的小腿踹得更用力。如今，驚鴻一瞥之中，普萊爾展現外人眼裡的他，瑞佛斯瞥見婁德、洛葡、史布拉葛的化身，不禁心驚。普萊爾令人憂懼。

第六章

在黃色背景幕的襯托之下，女演員披著鮮綠色薄紗，扭曲蠕動著身軀，看似一條異國蜥蜴或毒蛇。據說，這種扮相符合王爾德的本意。在舞台劇開始之前，勞伯．羅斯告訴他們，他記得那天在巴黎，王爾德在大街穿梭奔走，瀏覽櫥窗，問著：「那件如何？」或「或者，她也許應該不穿衣服，只佩戴珠寶？」黃配綠是他的構想，只不過，對查爾斯．曼寧而言，王爾德無法預見的是，黃是軍火工廠女工皮膚的顏色。曼寧以外的人當然沒注意到。他之所以想到，只因他在軍火部的職責之一是代表軍方出席委員會，視察軍火工廠的健康與安全標準。在工廠裡，皮膚被薰黃的女工排排坐，薑黃色頭髮從綠帽下鑽出，臉孔被口罩遮住大半。

當年王爾德有意將《莎樂美》搬上舞台，羅斯的態度相當積極，而羅斯現在看戲的熱情卻少了幾分。最驚人的事實是，王爾德曾經親自飾演莎樂美一角，特別引人奇想，因爲從相片看來，王爾德絲毫不像淑女，甚至以事業有成的中年男士標準來看也不像。曼寧把注意力轉回舞台。既然逼自己前來了——的確是下了一番工夫，因爲他的心情亂糟糟——起碼應該稍微專心看一下戲，特別是因爲據說王爾德生前相當看重這劇本。伊奧迦南（Iokanaan，阿拉姆語，「約翰」的意思。）的頭顱擺在大淺盤上，被端上臺，莎樂美跪著，雙手去接。一陣劇烈的反感來得突兀，曼寧措手不及，不是因爲斷頭嚇人，而是因爲斷頭並不嚇人，爲王爾德無法預見的情景再添一個：對於部分觀眾而言，斷頭未必是紙漿做的。

莎樂美開始愛撫著斷頭。「啊！伊奧迦南，吻君之口，我不覺苦楚。唉！我即將吻其唇。我將視之為熟果實，以上下齒啃噬。是的，我將吻君之口，伊奧迦南。我說過：我難道沒説嗎？我説過。啊！我即將吻其唇。」

曼寧悶得發慌。老實說，他覺得整齣戲對他毫無意義。他看得出王爾德想傳達的意念。王爾德隱喻的是一股龐大的熱情受到限制、被毒害，合理的發洩管道全被堵死，卻能掙扎出水面，那股熱情無法以愛來表達，只好以毀滅與殘暴來呈現。他並非認爲這種主題微不足道、或不值一提、或過時——絕對不是——而是他無法接受這種語言。法國戰場的體驗讓他無法接受。

他只消想一下那種情景——突出陣地的腐臭黃泥、麥片粥裡的塊狀物是人屍或屍塊——一堵難以穿越的障礙便升起，把他的心思與以下言語隔絕開來。

一列士兵戴著防毒面具，踩著狹道板前進，前方的路邊有個凸起物，遠看似一團泥巴，近看才知是一隻人手。腳踩著地。他自己的呼吸在防毒面具裡急促起來，接著他踏過泥地，動作扭擰似蠕蟲，聽見一陣人聲，語調狡猾、機密，有影射之意：「司高德在哪裡？司高德在哪裡？司高德——」

舞台上問的是另一句：「伊奧迦南，君因何不瞧我？君眼曾駭人，曾充滿怒火與輕蔑，如今緊閉。君眼因何緊閉？」

人都死了，問什麼問？曼寧暗罵。膝蓋的舊傷導致痙攣，痛徹心肺。他望向一旁的羅斯，見羅斯目不轉睛地看戲，將演員一舉一動的寓意盡收眼底。羅斯有病容。即使在反射的金光裡，他的容貌依然病懨懨。天啊，曼寧心想，但願趕快劇終。

最後，希律王高喊，**殺死那女人**！士兵一擁而上，擒拿希羅底之女莎樂美，以盾牌壓住。寂靜片刻之後，全場報以熱烈掌聲，濃妝的茉德．艾倫顯得虛假，對著觀眾行屈膝禮，飛吻頻頻送，笑容滿面，斷頭掛在白皙的小手上。

燈光一開，羅斯立即被觀眾團團包圍。曼寧推開人群，與他握手，在浪濤般的慶賀聲中喃喃恭喜他，然後指著自己的膝蓋，接著指向禮堂的後面。羅斯點點頭。「你待會兒會來後臺吧？」

曼寧推開人群，來到最上層的出口，這才發現腿痛得多厲害。他打開標識著**消防門**的出口，進入一道岩造走廊，燈光昏暗，毫無劇場裡的那份金光雍容。男士洗手間位於走廊盡頭，下幾層階梯就到。他小便完畢，洗著手，逗留不去，希望儘量拖延前往後臺的時間，不想去閒聊。他寧可回家。他今晚又睡自己家裡，藉口是他想監工，其實是巴不得脫離俱樂部幾天。收到匿名剪報後，他心神不寧，只因有嫌疑的人太多了。他不再覺得自己能信任別人，不再信任俱樂部會員與同事。即使是今晚，他不願出席舞台劇的主因，並非擔心與羅斯一同露面被看見——這確實是原因之一。他不願出席的主因是不想交際。也許他變得太深居簡出了。瑞佛斯絕對認爲他是如此。

他照鏡子。天花板的電燈在他臉上拉出深沉的陰影。

腳踩著地。他自己的呼吸在防毒面具裡急促起來，接著他踏過泥地，動作扭擰似蠕蟲，聽見一陣人聲，語調狡猾、機密，有影射之意：

「你認爲演得怎樣？」

一個男人從廁所隔間走出來，凝視著鏡子裡的曼寧。男子突然悄悄出現，嚇曼寧一跳。「抱歉，不合我胃口，」曼寧說，開始擦手。「你認爲呢？」

男子無動作，陡然說：「我認爲演得像小孩喃喃自語，一個陰蒂病得腫大醜陋的小孩。」

「是嗎？我倒只覺得太過時了。」

「不對，」男子說，彷彿唯有他的意見才具分量。「不是過時。其實，以他們想傳達的意念來看，選這主題是高桿無比。」

曼寧看著鏡子，看著這個荒唐卻又帶有莫名威脅性的人，決心不要被他擊倒。「你認爲陰蒂腫大是一種現代問題，對不對？」

「現代婦女的種種不滿，全可用陰蒂切除術一刀解決。」

「應該沒有那麼單純吧。」

男子對他置若罔聞，走向他，直到自己的臉來到曼寧的臉旁邊。「倫敦有些婦女的陰蒂腫大醜陋，腫脹得太厲害了，只有公象能滿足她們。」

啞然。曼寧想不出該說什麼。

「你不是和勞伯·羅斯坐同一個包廂嗎？我好像看見你們。」

曼寧轉身面對他，直視他的眼睛，語重心長地說話，字字加重語氣：「我是軍火部的人。」他摸摸自己的鼻梁，豎起一指，以示警告，然後離開男廁。

走在走廊上，他赫然發現自己在發抖。剛才那人是個徹底的瘋子，不需勞駕瑞佛斯診斷即知。但那人卻能留下深刻而恐怖的印象。

茉德·艾倫的梳妝室裡人擠人，他接下一杯葡萄酒，寸步挨向羅斯。「我剛在樓下洗手間遇到一個不得了的男人。」

「不賴嘛。」

「你誤解了。瘋狂得不得了。他滿口罵著生病的陰蒂。」

「那一定是史賓塞上尉。葛瑞恩說他也見過。」

「他是什麼人？」曼寧問。

「是所有麻煩的根源，親愛的。見過黑皮書的人就是他。他知道裡面的姓名。」

「可是，他是瘋子啊。」

「大家不會因此不相信他。事實是……」羅斯謹慎地左看右看。「她不應該告上法庭的。我知道我是最不應該說這種話的人，不過——」

「不然她能怎麼辦？」

羅斯搖搖頭。「他們一出庭，想揭發誰的姓名都行。」

「他們放你一馬嗎？」

「才不。他們派一個警察到我家，差不多是長期駐守我家大客廳。要不是我擔心會被誤解，不然我覺得他可憐，會讓一張床給他睡。」

二十分鐘後，大家散會，曼寧留意到史賓塞上尉站在馬路對面，站在路燈下觀察。曼寧伸手想拉羅斯的袖子，想想覺得不妥，於是放手。

第七章

在前往曼徹斯特的火車上，普萊爾閱讀碧蒂・洛葡家的通信。

親愛的溫妮：

妳別為我操心我沒事。荷娣回家過耶旦我們玩的開心連小湯姆的心晴都好一些而妳小的他的個性。新的一年和去年不一樣妳注易到沒。今年的狐說八道沒去年那麼多。我想去年把很多人下壞了只有那個該死的威爾斯膨風仙沒被下到。他的調調沒變多少。可憐的這一代年輕人。

荷娣逼我跟她去逛大拍賣因為她知到我要一件上衣。有一件不錯的黑衣服沒裝飾但荷娣說媽妳穿這件象老太婆。唉妳也小的荷娣。我最後買一件海軍藍的衣服上面有一小朵黃玫貴我覺的還好。不合似也沒輒因為是拍賣品不能退還。我們碰到華納太太妳在婦女參政運動認是她。她當然問侯妳可是她汰度冷淡看的出她不想多談。她說她覺的大家太重視耶旦還說火基肉太干不好吃。我說無所位反正我沒吃過所以不小的。喀爾克說過一句話妳記的嗎他說碧蒂妳被她們利用了她們晚上回家內衣褲亂丟都不收拾。唉假如喀爾克在她們家她們根本懶的脫。

至於妳的姑媽遲來的事妳千萬要記的妳要操心的事太多了岳母對妳不好而且他們家艾薇那麼奇怪。可是千萬別拖過兩個里拜。**妳趕快回家**不然會碰到脖子粗的可以種馬鈴暑的笨婆子。那種女人能造成的**災情沒完沒了**我看過好多小妞幾年以後還是一身病。

我里拜四寄的信阿爾福收到沒。尤局最近慢吞吞的不是嗎我猜是耶旦積了太多信來不及送。如果他收到了叫他趕緊把東西寄給我。如果沒收到叫他別著急我會再寫給他。耶旦前有個男人來店托我幫他找那東西做一件有點冒險的事情不過**只對他**有危險。他不認是妳和阿爾福所以別怕被連累。好了寫到這裡就好希望妳一切平安。

太愛妳的老媽

親愛的媽：

開學了，不知道誰比較受不了，是學生呢？或是我？耶誕節期間，禮堂的屋頂漏水，當然找不到工人來修理，而且今天還颳大風。雨水順著窗户一直流下來，燈也打不開，而且衛德爾囉唆著什麼凡事體諒帝國，大家應該束緊褲帶縮緊脖子，他自己的脖子卻縮不太進去，而且肚子那麼大，哪束得緊？我只能天天祈禱，希望天花板的水滴到他光禿禿的頭皮，可惜沒那麼好運。所有小朋友都咳得好厲害。一個開始咳嗽，其他人也跟著咳。所以我們朗誦到「光榮的帝國……」**咳咳咳**。「舉國必須戰至最後一員。」**咳咳咳**。「舉國英勇之青年……」**咳咳咳**。對了，他算出本校有多少校友進了戰壕。滿多的，我很訝異。我以為他們體檢沒過，因為全有軟骨病。我的班上也有幾個軟骨學生，額頭圓滾滾的。不仔細看還好，一看就知道有病的學生有多少。他還逼我們聽為何而戰的大道理，噁心到底了。儘管如此，情況比耶誕之前好多了。耶誕之前，我真的以為自己會吐得稀裡嘩啦。說什麼願上帝降福於地球上的善人。其實，我們表達善意的方式是炸爛德軍，拯救英勇的小比利時。去年我教六年級，教他們認識英勇的小比利時在剛果幹了什麼好事，結果馬上被他制止。我告訴他，我只是拿大英的光輝帝國史作為榜樣，以對照**惡劣的**殖民政權，但我認為他不相信我。他對我的信任不重，跟他的體形相反。這學期，他改派我教低年級，我認為不是巧合。

八號跟我保持聯絡。他被捕之後，妳知道我有多擔心他，不過他說情況還不算太糟。他說，他有個青年留大鬍子，被他們拿直柄剃刀刮，最後傷痕累累，他們看了竟然還笑得出來，難以相信。他還說，他沒見到我們家的威廉。人被隔離拘禁了，當然見不到。可是，媽，我們以後不會再接到信了，因為他說，替他走私信件的獄卒快被調走了。

我最近發現一件事——來源是十號，妳不認識他。他回報埃塔普勒的狀況。新兵全被送去那裡受訓。他說，那裡的受訓情形讓他大開眼界。新兵被整得好慘，犯一點小錯，就被綁在柱子上，雙手抱頭。**聽起來**不覺得苦，可是，他說痛苦得不得了。他說，總有一天，訓練營保證會爆發動亂。我希望如此，我殷切企盼。只要士兵舉槍射死幾個軍官，只要爆出一個小火星，肯定會像野火一樣蔓延，一發不可收拾。我知道一定會的。

一直沒接到邁克的消息。我儘量找事忙，大半天東奔西跑的，活像一隻被燙到的貓，因為我不敢讓自己有空閒胡思亂想。幸好小孩們一切平安。還沒有人能污染到他們。前幾天，我自創了一首新兒歌：

小喬小喬，點心和派，
也許女生會害他哭出來。

但願如此啊。

媽，我建議妳儘量囤積糧食。我知道妳現在多了一個湯姆，填飽肚子都成問題了，不過妳一有機會儘量多存幾個罐頭。領糧食券的時候，家有良心逃兵的家庭會被排擠到最後頭。**領得到還算福氣大呢**。

妳別為我操心了，我不會有事的。妳該多多為自己著想吧。

深愛妳的荷娣

又及：如果可惡的邁克再不趕快來信，等我見到他，我一定把他的頭打爛。

親愛的岳母：

附上妳要的東西，請查收。告訴妳的朋友，務必完全依照指示使用。妳大概會認為我的心太軟，如果妳夠接近那些壞東西的話，保證牠們二十秒之內死翹翹，我可憐牠們。別不多說，祝妳好運。下一個耶誕節之前，天下應該會太平吧？但願。

阿爾福

又及：溫妮要我轉述，已經來了，沒事。

我親愛的荷娣：

我遲遲沒音訊，妳一定想知道原因吧。唉，最近狀況變得烏煙瘴氣了。有個駝背很嚴重的小子，妳記得嗎？他大可以拿健康為藉口，爭取免役，絕對爭得到，他卻不願意，堅持要上法庭。我用盡辦法，想把他偷渡去愛爾蘭，最後打通管道了，就在他快上船的時候，卻被逮到了。駝背害他露出馬腳。我們想盡辦法掩飾他的駝背。查理建議他男扮女裝，打扮成孕婦，倒退走，我卻認為一點也不像。總之，他被送回萬茲華斯了，獄卒現在一定盡力想把他的駝背壓平。出了事，拖累到我們，我們不得不低調，換言之，偷渡其他人去愛爾蘭的事全部喊停，整套計畫停擺，我也失去耐心。我知道，每個人都一樣重要，但是，把六、七個人偷渡去愛爾蘭，哪能阻止戰爭？想止戰，只有一條路可走，妳我都知道是哪一條。

我借住在查理．戈立佛斯的母親家。**別寫信給我**。我知道妳曉得她家地址，但麻煩在於，知道地址的人不只妳一個。**來信全會被拆開檢查**。妳的麻煩夠多了，我不想讓妳愈陷愈深。別誤會，我不是把妳當成「弱女子」看待。至少應該有幾人不被他們注意到，否則以後找不到避難屋，找不到包庇自己人的圈子。提到這事，耶誕前幾天，我把一個人介紹給妳媽，妳碰到他了嗎？他走後，我在懷疑，不知道這樣做是對是錯。我並不是說我對他有疑心。他是個好青年，像芥末一樣帶勁，不過他有時會積極過頭。這事不重要，不過如果妳寫信回家，順便跟她提一提。他大概早就走了。妳媽最近怎樣？我但願能把湯姆偷渡走。他對妳媽是一點好處也沒有。

我趴在床上寫這封信。這張大銅床很寬敞，彈性不錯，外面下著傾盆大雨，風勢很強。假如有妳在身旁，我願犧牲一切。**願早日重逢**。

獻上所有的愛

邁克

雖然這些信全在中央刑事法庭（Old Bailey）朗讀過了，普萊爾閱讀著好友的私信，依然心生異樣的感受。被公開的信件獨漏阿爾福那封，因爲信中提及毒狗一事。就連荷娣的小兒歌也響徹第一法院，因爲首席檢察官認定兒歌暗示她涉及陰謀。這些信已無隱私可言了，他並沒有侵犯到任何重要的私事。火車隆隆過山洞，車廂彌漫苦臭的煤煙，普萊爾轉頭面對車窗，見到自己的雙重影子，不太喜歡自己。他在意的是最後這封信。最後這封曝露邁克對荷娣的柔情，先是在法庭上公開，如今再對他透露。

這封信放在荷娣的裙子口袋裡，警方前往學校逮捕她時，信被搜出來當證物。

第八章

父親哈利·普萊爾正準備出門。晾衣架上有一件乾淨的襯衫，放在壁爐前烘乾，客廳因而變暗變涼。比利·普萊爾與母親坐在桌前，她穿著圍裙，他穿著襯衫與吊帶褲，兩人既無法延續被打斷的話題，也無法改與哈利交談。哈利對著洗手臺彎腰洗臉，漱漱口，噴噴水，食指戳進耳朵挖著。洗掉肥皂之後，他以食指連接按住左右鼻孔，對著洗手臺擤出兩大團青色的鼻涕。

比利·普萊爾的手肘碰觸到母親的腰，感覺她發抖的動作太講究了。他十指交握著一杯熱茶，舉杯就口，短鼻探進杯中，動作細膩。這種緊繃而沒必要的場面，兒時的他見過無數次了。母親怕打雷，他也怕打雷；母親嫌惡這種場面，他也有同感。如今，比利·普萊爾已長大成人，坐在這個再熟悉不過的客廳，瓷磚已被他的腳踏平，桌面已被他的手肘磨光，他自認比較能持平看待父母之間的衝突。發抖要連續講究二十八年，侵略心不夠重的人做不出來。

他現在想到，他能體認母親煽風點火的作用。他看得出來，她蹙眉敏感的反應反而助長這場殘酷的表演。他回憶母親溫柔、文雅、怨聲、責備的話語持續著，他早被父親顛簸的腳步聲驚醒後，母親依然絮叨著。他記得，他坐在樓梯上，拚命豎耳聽，肌肉緊繃到痠痛，等著母親說出父親無法忍受的一句話。接著是匆忙奔跑聲，壓抑的哭叫聲，他會下樓到一半，聆聽是否只響一巴掌，是否父親以手背摔她耳光，打得她跌去撞牆。或者是，這次是比較嚴重的一次。她向來不懂閉嘴的眞諦。

但從另一個角度看，她或許反而値得稱讚，他心想著，以杯緣遮臉。她向來不懦弱，有話直說，無懼後果。在「持平而論」的前提下，論點非常容易滑向另一個極端，不把家暴歸因於父親的獸性，反而把過錯推給她，怪她對獸性束手無策。

普萊爾記得，小時候碰到這種狀況，他會一手握拳，猛捶另一手的掌心，反覆重擊，每捶一下，嘴裡會罵著豬、豬、豬、豬。現在長大了，他想瞭解父母的婚姻之道，能以比較成熟的態度去分析，總比只罵豬、豬、豬、豬來得穩重、知性、敏感、有洞見，想得到的形容詞幾乎全適用。但他並不因此滿足，因爲這種做法也是謊言一個：自稱「此役不干我事」。怎可能不干他的事呢？他是此役的結晶。父親與母親是兩股自然力，他個人的特性幾乎付之闕如，兩人在他的每一個細胞裡死纏爛打，直至他氣絕之日方休。「他們戰了又戰，在我心之進行曲伴奏下，永不停息。」他心想。而我受夠了這股鳥氣。

父親已穿上外套，戴好帽子，起身準備外出，望向母子倆，面帶一種無情、挖苦、彈性伸縮式的微笑，而母子兩人等著他出門。「回頭見了。」他說。

以多數家庭而言，父子一同外出買醉，什麼問題也不必問。

「你什麼時候回家？」母親習慣性問。

「大概十一點。別等我。」

她總是熬夜等。她總會推說，她在等爐火熄滅，在準備明天用的餌，在擺餐具，在替燒水壺添水，樣樣是可以提早做完的家事。普萊爾聽見她問，再一次低頭望著茶杯，儘量不要自問：假如母親聽話，該上床就上床別等他，暴力的場面能避免幾次？幾百次吧？或者一次也躲不過？別看哈利現在語氣多柔和、多體貼，十幾大杯下肚後，從小酒館搖搖晃晃走回家，照樣可能把她攆下床，叫她伺候大爺。

算了吧，他告訴自己。**別插手管**。

父親走後，普萊爾與母親繼續對坐桌前，把茶喝完。她絕口不提法國戰場或奎葛洛卡的事。她似乎想漠視兒子離家後發生的所有事，令普萊爾既心煩又覺得輕鬆。他問候老同學的近況。一個死了，一個受傷，艾迪．威爾森逃兵。記得艾迪吧？報紙每星期公布逃兵名單，她說。艾迪躲進母親家的送煤孔，被警察揪出來，警察領到五先令的獎賞。

「上星期報紙刊登一封信，」她說。「是麥肯濟神父寫的。」

她找出舊報紙，遞給兒子。普萊爾先是默讀，隨後朗誦，模仿神父做禮拜時的尖嗓，傳神而不懷好意。「『你們當中，或許有些人太任性而該責備，無視生理發育法則，不適合從軍，但是——』唉，拜託啊！」普萊爾重重放下報紙，恢復自我。「有些人太任性而該責備，乃至於罹患軟骨病。他生理發育很健全，是因爲他母親買得起營養食品，每天照四次塞滿他的嘴。」神父的確是發育太健全了，普萊爾記得看過他穿著襪子的大腳。

「他只是以爲很多人想逃避兵役，比利。你總該承認，他講的不是沒道理。」

「專收矮兵的萬丹軍團，妳知道他們規定的低標嗎？五呎。我們這一帶的男生不合格的有多少人，妳知道嗎？」

「比利，有時候你的口氣好像你爸爸。」

他拿起報紙，假裝看報。

「在軍火工廠，好多人在談罷工的事。你爸爸舉雙手贊成。他呀，當然贊成啊，不是嗎？」

「爲什麼想罷工？」

「不知道。」她思索著一個不熟悉的單字。「『勞動稀釋（譯註：dilution，以臨時工暫代熟工）？』」

「對。」

「唉，你爸的個性，你不是不知道。『小妞居然賺比我多。』他會說，『記住我今天講的話：戰爭結束以後，他們會引進基層勞工，婦女會全去上班，男人會坐在家裡帶小娃兒。工匠的末日到了。這場戰爭是一匹特洛伊木馬，不同的是，他們太驢了，瞎眼沒看見。』」

父親講這話很正常，普萊爾心想。儘管父親再怎麼決心提升整體勞動階級的地位，他更強的決心是維護男女工的差異性。

「還有啊，他不喜歡假牙，」母親繼續說。「梭普太太裝了假牙，你知道嗎？你爸嫌她『老羊裝嫩』，罵得好難聽啊，讓人以爲，他該不會被她咬到了吧？另外喔，萊利太太的垃圾桶，裡面有**龍蝦**罐頭耶，你能相信嗎？被他罵：『在戰前，如果有一點麵包和剩菜可吃，他們就萬幸了。』」

「他的社會主義概念滿怪的。」

她聳聳肩。「我哪知道。像女權之類的東西，他從來都不贊成。」

「對。」

「我記得他常爲這事罵碧蒂·洛葡。」

停頓片刻。「我去看過碧蒂。」

她一臉震驚。「去探監？」

「對。」

「你沒必要去蹚渾水。」

面對突如其來的怒火，普萊爾說：「我不去不行。職責在身。」

「喔。」她點頭，半信半疑。

「荷娣最近怎樣？」

母親愣住。「我哪知道。我從沒見過她。」

在普萊爾十七歲那年，他與荷娣．洛葡曾經「走得很近」。婁德少校認爲是「古怪」的說法，套用在這一對身上，卻是貼切得令人心痛。兩人的交往確實僅止於「走」——散散步、聊聊天，熱烈討論社會主義、女權、唯心論、艾德華．卡本特對於男人同袍情誼的見解、世上能否容許自由戀愛。他記得有一天，在福母比海灘上，兩小坐在沙丘上，天色漸漸暗，太陽低垂海面上。一整天以來，他好想摸摸她，一直不敢動手。夕陽在海面上逗留片刻，熾熱而浮腫，最後栽進海水。「走吧，」他說著拿起夾克。「該回去了。」

那天晚上，母親一如往常，又熬夜等他，大腿上擺放一本打開著的書，卻忘了開煤氣燈佯裝閱讀。問題立刻一個接一個來。他立時明白，母親討厭荷娣。他當時不明白爲什麼。

「她還開店嗎？」他問。

「開了也沒客人上門，乾脆不開。」

「她有沒有工作？」

「就我所知沒有。」

「她靠什麼過活？」

聳聳肩。「她還有配糧。」

「我想過去看看她。」

無言。

普萊爾提醒自己，已經不是十七歲了，於是站起來，把茶杯放到餐具架上瀝乾。「我不會太晚回家的。」

在戰前，如果黃昏暑氣不散，女人會坐在門階上乘涼到入夜，儘量拖延上床的時刻，不想面對那亂咬人的床虱，盡情享受不會遭人非議的唯一社交活動。女人如果白天沒事和人瞎扯，被鄰居瞧見了，會立刻感受到議論的重擔。「哎喲，看看人家梭普太太，生了十一個小孩咧，怎麼閒成這樣？找不到事做嗎？」現在，普萊爾望著整條街，只見荒涼的門階。戶外不是看不到女人，但女人出門必定不是隨便走走，而會表現得像忙著去哪裡。

以梭普太太爲例，是因爲從前比她更常遭議論的婦女沒幾個。她的酥胸白皙如豬油，大如足球，小喬、阿爾福或巴比總是猛瞧，偶爾低頭抽一口菸屁股。以她爲例的另一個原因或許是，在潛意識之中，他遠遠就認出梭普太太了。果然，她走過來，身上不再是常見的披肩，腳下不再是木鞋，現在不只穿著外套、戴著帽子，還穿了一件肉色褲襪以及女鞋。她身旁有個姿色動人的女子，幾乎不可能是萊利太太，但如果不是萊利，他不知道會是誰。

她們見到普萊爾，樂得高叫，摟他親他，接著向後退一步，大展不敢置信的笑顏。這一帶有句俗語：每生一娃，必掉一牙。所言不假。在戰前，梭普與萊利太太每次一張口，無異於炫耀自己的生殖力多強。現在，嘴巴一打開，缺牙殘齒不見了，取而代之的是平整皓白的兩排。「老祖母，妳的牙齒好白喔，」他說。

「才咬得動你嘛，」萊利夫人說。「噯，怎麼能亂喊老祖母？」

梭普太太問：「你放假幾天？」他來不及回答，她緊接著又問：「哎喲，我們眞是的，老問人家這句話。」

「兩天。」

「好好把握喲。只是，別碰我們不做的事。」

他微笑。「範圍縮得太小了吧？」

「這些日子啊，這樣才公平。」萊利太太說。

他一時間想起，他曾吸吮過這兩人的奶。他出生之後，母親大病兩個月，父親去轉角的商店買煉乳罐頭餵他。成年人以同樣的煉乳泡奶茶。附近的嬰兒以這種煉乳爲主食。以這種煉乳爲主食的嬰兒陸續夭折。梭普太太與萊利太太及時現身了。普萊爾猜想，當時兩人是活力充沛的少女，各自剛生完第一胎，正値哺乳期，所以順便輪流餵他，或許因而挽救了他的小命。這件事實，他從小就知道，但以前梭普與萊利太太裹著披肩，不見曲線，他看見她們也不曾意識到哺育之恩。現在，不容易窘迫的他竟然自覺開始臉紅。

「看看他，」萊利太太說，「他進入求愛期了，我一看就知道。」

「是真的嗎？」梭普太太問。

「對。她名叫莎拉。莎拉・倫布。」

「夠力的好名字。」萊利太太說。

「她是個夠力的好女孩。」

「不夠力怎麼行呢？」萊利太太說著上下打量他，臆測著。「要不要去喝一杯？」

「我很想，可惜我急著去看一個人。」

「好吧，如果你改變心意，可以去瑰冠找我們。」

她們說完離去，咯咯笑得好開心，兩個女人相約去喝酒。鮮事一樁。而且光顧的還是他父親開的小酒館。難怪老混帳認定世界末日到了。

普萊爾繼續走，四處發現景氣復甦的新芽。肉品或許稀少，麵包或許不夠白，這一帶卻仍欣欣向榮。他在內心深處有點欣喜，甚至興高采烈。「小妞居然賺比我多」？**很好啊**。萊利太太家的垃圾桶出現龍蝦罐頭？**很好啊**。他願犧牲一切，換取單純的、不含糊的、明確無誤的欣喜。但他路過的民房當中，有太多窗內擺著黑框紙板，寫在上面的姓名各個是他認得出長相的舊識。他覺得，馬路上到處是幽靈，灰暗的、飢餓的、不肯歸陰的幽靈，在人行道上推擠，在民房外等候，等著進入他們離家之後繁榮起來的民房。他想像房子失火的模樣，玻璃在窗框裡震動著，一道門向一旁滑開，接著有人露臉說：「風勢轉強了。你有沒有覺得陣風颼颼吹？」旋即迅速關門。

剛才巧遇梭普與萊利太太，相談甚歡，餘韻已消散一空。他鑽進馬敘街與格拉斯東巷之間的夾道，走向碧蒂在汰特街開的商店。同一條路，從幼年、青春期到成年，他走過不下千萬遍，但現在他靜悄悄地走，踏著圓石路面，感覺近乎隱形人。重返陽世的陰魂無法進入這片活人世界，普萊爾也同樣格格不入。

鑽出夾道，他來到希望街的坡頂，開始走下坡路。希望街與運河平行，綽號可想而知是「無望街」，因爲居民的心境從希望轉爲絕望的速度飛快。至少戰前如此。現在，自殺事件很少了。一場戰爭打下來，打得人心振奮。

下坡路走完一半，在希望街與汰特街的交會口就是碧蒂的商店，窗戶全被木板封死。他用力敲門。

「不會有人應門的啦。」路過的女人說。他等到對方轉彎走開，屈膝下跪，從郵件投遞孔向內窺視。櫃檯上的物品全被收走了，地板也打掃得乾淨。他喊：「荷娣，是我，比利。」通往小客廳的門開著。他察覺荷娣正在聽。「荷娣，是我啦。」

她終於走出來，跪在門內，查看門外是否有旁人，接著是門閂與鎖鏈鏗鏘巨響，她站在門口，細瘦、黝黑、剛強，比他的印象老。美貌不再。

「比利。」

「我去探望過妳母親了。」

「對。她來信提過。」

遲疑許久，瞬間解答普萊爾心中的問題。他脫帽，向前跨一步，荷娣幾乎同步讓開，說：「進來吧。」

客廳裡很空曠，有兩道門，一道通往炊具存放室，另一道通往樓梯，全關著。他環視客廳，不急不躁。壁爐燃燒著柴火，旁邊的壁爐擱架上擺著燒水壺。鋪著綠桌布的桌子仍占據客廳的大半空間，六張空椅整整齊齊圍著桌子擺放。荷娣循著他的視線望去，他看得出原本荷娣已適應的變局——空椅——轉眼又變得陌生了。透過他的眼睛看待變局，更讓她難以忍受。「唉，比利。」荷娣說著投入他的懷抱，哭了起來。

他擁抱荷娣，讓她雙腳離地，輕輕左右搖擺著她，等到啜泣聲消退，他才鬆手，任她落地。她打開雙手，手指碰觸到皮帶、扣環、鈕釦、垂片、星星，是她痛恨的全套裝束。他趕緊說：「妳還留著提布斯啊。」

一隻虎皮肥公貓蜷縮在小地毯上，露出下巴底下的白毛。幽幽從店面飄來的是貓尿臭與雜酚油味。

「是的，」她邊嗅邊笑說，「現在是見東西就撒尿。」

她的笑聲承認了兩人共通的往事仍未耗盡。謝天謝地，普萊爾心想，拉開椅子坐下。她端茶壺出來泡茶。「我媽情況怎樣？她自稱還好。」

「好瘦。不過她肯吃東西了。她已經結束絕食抗議。」

「嗯。絕食多久？我叫她不要絕食，她卻說：『不絕食，我怎麼叫他們相信？』」

「妳去探監過嗎？」

「我下星期去。我猜，我們應該謝謝你吧。」

「我求情過。」

她倒著茶。「你怎麼有權求情？」

「在軍火部上班嘛，就這麼簡單。我有氣喘病，軍方不肯讓我歸建。」

「你上什麼班？」

他笑笑。「和我戰前上的班沒兩樣。文書作業。不過，我透過檔案部門的一個小姐，設法調出妳媽的檔案，然後想說，去看看她也好。」

「結果你**唬**一**唬**人，就過關了？」

「不盡然是。我帶了印著軍火部徽章的筆記簿，到哪裡都沒人敢攔。」

「哼！但願**我們**也有就好了。」

她聽信普萊爾的說法。正如她母親聽信史布拉葛的說法一樣。她坐在桌頭，坐的是母親的位子，無疑是避免母親的椅子空著太刺眼。而普萊爾幾乎敢確定，他坐的位子與史布拉葛是同一個。

他望向抽屜櫃，上面果然擺著威廉的相片。

荷娣見他看相片，伸手從背後取來。「你大概沒看過這一張吧？」她說著遞過去。

威廉背靠著一堵石牆，雙臂鬆鬆地交叉在胸前，面帶微笑，但笑容變僵了，因爲攝影師操作相機過久。威廉的腿上有騎單車用的褲管夾。有人以鉛筆在相片背面註明「一九一三年五月」。普萊爾好像認得出留影的地點，印象中三人曾同遊該地。相片沒拍到石牆的另一邊。石牆背面是一道河堤陡坡，長滿刺莓與蕨類植物，兔子群居，到處留下光滑的圓屎。

「爲什麼感覺像好久以前的事？」他說，把相片舉得更遠一些。在沒有刻意欺瞞的心態下（但也並非渾然不覺），他儘量以重溫戰前友誼的口吻說話。

她哈哈狂笑一陣，聲音刺耳，不像荷娣的笑聲。

「是眞的嘛，像好久以前的事，妳不覺得嗎？」他堅持。「我是說，相片看起來比較久遠。來妳家的路上，我想到一個現象，就是……」他深呼吸。「描述某個東西的時候……例如說，描述一個圍住的地方，或是描述鐵路即將鋪設到這裡，不會有人站在那邊說……」他一手伸向額頭，裝模作樣說著：「『唉呀，現在的社會變化好快呀，我們正在體會中。不會有這種講法吧？』因爲沒人相信有誰……知覺這麼靈敏。可是呢，我們現在確實正歷經這種時代，人人眞的感受得到變化。我回家以後，同樣的東西聽過幾百次了。不是人人掛在嘴上，是大家都有的意識。而我在想，該不會有些年代的人確實感受得到變化中的事物，回首先前無知無覺的自我時，會覺得恍如隔世。」

「對，你說的有道理。」她思考片刻。「兩三個月前，我去倫敦找一個朋友。婦女參政運動期間認識的朋友，有少數幾個還肯跟我來往。我去她家坐，不巧遇到空襲，竟然聽見砲彈碎片打在樹上，聽起來和下雨一模一樣，你知道嗎？而她的態度……自以爲是。頭髮剪短，穿長褲，開救護車，全是她做夢都沒想過這輩子會做的事。她突然握住我的手說：『荷娣，對婦女來說，今天是世界史的元旦。』」

「也是很多男人的末日。」

她的臉陰沉下來。「別打壓我，比利。別忘了，我是和平主義派。」

「至少妳爭取到投票權了。」

「我沒有。我還不到三十歲。我媽也沒有，因爲她正在服刑。我姊溫妮也沒有，原因相同。威廉也沒有，因爲他是良心逃兵，投票權被剝奪。所以就票數而言，我們家比戰前還少一票。」

「威廉在哪裡？」普萊爾問，視線重回相片。

「達特木。他接受內政部的規畫。他正在從事『與戰爭無關之建設性的工作』。」她以鼻子出氣說：「劈岩石。」

「他居然肯接受，我很驚訝。」

「假如你看見他，你就不會驚訝。他現在好瘦，瘦到你認不出人。」

「麥克・瑞歐丹是我排上的弟兄。妳記得他嗎？我也認不出他了。只不過，原因是他整張臉都不見了。」

「比利，比這個做什麼呢？」

「妳說得對。」

荷娣摸摸他的袖子。「但願我們站在同一邊。」

「以妳媽的想法，我們確實是同一邊。妳該不會以為我和史布拉葛同一邊吧？」

她的表情變了。「唉，那男人。你知道嗎，我見過他一次，只有兩三分鐘，總覺得他哪個地方不對勁。」

「妳不知道毒藥的事？」

「對，我媽瞞著我。要是她告訴我，我會罵她傻，怎麼會相信那種人。還有，那個在中央法院冷笑的狗雜種。比利，站在那臺上的感覺好恐怖，會有罪惡感，即使自己知道沒做壞事也一樣。事後連續幾個月，我覺得大家都能看穿我似的。」她停下來。「來，喝茶吧。茶快冷了。」

「妳調適得怎樣？」

「活過來了。你爸不時送一點肉給我。比利，別表現得那麼驚訝嘛。」停頓一下。「誰一直對我好，告訴你好了。萊利太太。每次她烤麵包，都會送一些過來，大概只有五六個吧，不過再少都有幫助。至於其他人，我沒啥好感謝的，她們只對我的窗戶扔磚塊。你知道嗎，我最痛心的是她們以前在路上整死我媽的那招，她們會一直盯著她看。可是啊，她們一碰到麻煩，或是女兒碰到麻煩，就跑來敲我們家後門。我說：『媽，妳太傻了，幹嘛冒坐牢的危險去幫她們？』可是她不聽，她說：『唉，她上次不手術不行，』或『可憐的小孩，她才十七歲呢。』結果她替她們冒險，然後受審的時候，事情一件件全在法庭上被公開，例如，懷胎兩月就殺嬰，現在算滔天大罪，不過，等個二十年，再把同一個小孩的腦袋射穿，無罪。」

普萊爾蹙眉頭聽著，心想，這些字句她竟然說得口無遮攔，渾然不知這些內容在他腦海勾起什麼影像，令他覺得奇怪。

「邁克呢？妳最近見過他嗎？」

她的臉色變得警覺。「沒有。」

「一次也沒有？」

「比利，你應該最知道。他才不敢來我家。」

椅子上的普萊爾向後挪。「我知道他捨不得離開妳。」他等著。「我剛剛好像聽到人聲。」

荷娣的視線轉向炊具室的門。

「來回走著。」

「這棟房子不安寧啦。你別忘了，我媽以前辦過幾場降靈會。就在這間客廳。」

「妳不信世上有鬼吧。」

「我知道我媽不是騙子。事情確實發生了，會不會只因為大家凝聚意志力，所以才顯靈，我不知道，不過，有幾個晚上，這張桌子會搖動，會改變位置。有幾次，晚上我獨自坐在這裡，聽見腳步聲繞桌一直走。」

普萊爾能明晰想見，她孤零零獨守這房子，椅子沒人坐，窗戶被木板封死，日子必然孤寂，聽見腳步聲繞桌，也不足爲奇。

「提到邁克，」他說，這時感覺到荷娣的身子繃緊。「我想去看看他媽。邁克大概不再去她家了吧？」

「很好啊，比利。我是有去探望她的意願，可是，她大概不會感謝我去看她。會請我進門才怪。」

「對，黎姿的愛國心很重。」他在心中暗笑著。「告訴妳，上次我放假回家，撞見她了。呃。」他大笑。「其實是被她絆倒。瑰冠後面不是有條巷子嗎？她就躺在那裡。她說：『只是休息一下嘛。』我扶她起來，她一看見我穿軍服就說：『謝天謝地，終於碰到一個誠實的男人。』接著，劈哩啪啦，全把她的心事說出來。她說，開戰的那天，她免費做了七個男人，以爲他們剛去募兵處志願從軍。**他們自己的說法**。她說：『結果呢，一年以後，其中五個還穿著老百姓的服裝走來走去。』她說她去找沃立．史密斯理論。結果沃立說：『我牙齒不合格，他們不讓我從軍嘛。』黎姿罵他：『屁話，軍人要牙齒幹嘛？**咬敵軍嗎？**』」

荷娣的神色非常窘迫。由於荷娣一點也不矜持守舊，普萊爾只能臆測，這段黎姿八月四日慷大慨的往事，聽在炊具室裡的人的耳裡，想必聽得如坐針氈。普萊爾本想說：「算了吧，邁克，別躲了，」但他不敢冒險。還是先動之以理，然後讓他們兩人去討論討論。

「荷娣，我想見一見邁克。」

「我也想，」她動怒。「門都沒有。」

「我是眞的有必要見他一面。想替妳媽想辦法的話，只有先找他面商才行。他——」

「他當初對這事完全不清楚。」

「對，不過他認識史布拉葛。史布拉葛來妳們家之前的前一晚去找過他。地址是他給史布拉葛的。」

「你以爲他不曉得嗎？史布拉葛騙了好多好多人啊，比利。他弄到信件。」

「我知道。我不是在……我不是在怪罪邁克。我只是想找他講講話。他可能記得一些東西，可能派得上用場。是這樣的，如果我們能證明史布拉葛想暗中煽動別人作案——甚至試圖過——就有助於推翻不利妳媽的證據。」

她瞥向炊具室門。「我認識一個人，偶爾會碰到邁克，可以幫你捎個口音。」

「這就夠了。」普萊爾站起來。「我該走了。」

她沒有挽留的意思。普萊爾走到門口，高聲說：「我想去牛欄附近散個步。我想現在就去。」

她望向普萊爾。「晚安，比利。」

第九章

普萊爾抵達牛欄時尚未黃昏。每週這時候，牛欄裡無牲口，因此無人看管。如果邁克想來，他會等到入夜之後才來，因此普萊爾好整以暇。他點了一根香菸，來回散著步，憶起今生第一支菸的滋味——邁克給的菸。他也想起自己當時費盡了全力，才不至於嘔吐。

他駐足一陣子，雙手握著冰冷的牛欄金屬桿，回想童年多病的自己，有一天病好了一半，還沒痊癒到可以上學，卻在家悶不住，索性到街頭亂逛。記得那天很熱，層層衣物裹在他身上，圍巾刺得脖子好癢，胸口貼著一帖糊藥。他拖著腳步前進，人行道烤出的熱氣直撲他的臉，雙腿因臥榻太久，膚色蒼白，枯瘦如樹枝，冬青油的氣息升進鼻孔。冬青油的名字令他聯想到松林與丘陵雪景，也想到蓋被單的一種滋味——被單把腳蓋得濕熱，抽腿移至比較涼的地方，就有塗抹冬青油的感受。

未見牛群，先聞蹄聲，他與所有人一樣，在大街上停下來，觀看牛群被趕進屠宰場。一股熱呼呼的屎味。灰土漫天，飄進他的肺，令他咳嗽，綠色的濃痰往上竄。他從嘈雜混亂的場面退開，奔進一條夾道，兩旁是黑色的高牆，突然發現，一如惡夢的情景，背後跟來一頭母牛，連走帶滑，兩眼直瞪，幾個漢子追上來，夾道的另一端也衝進來幾個男人，包抄母牛，步步逼近，嚇得母牛踩進自己拉的綠屎而滑一跤，兩路追兵則對準她撒黑網，以厚重的網子將她拖回牛群，把洗好的衣物踹倒，巷內的主婦紛紛從後院衝出來揮手叫罵。

黑網罩住母牛的那一刻，小普萊爾望向牛背的另一邊，當時看見一個同年齡的男生，背貼牆站著，蓬亂的黑髮遮住白臉一半，面無表情。邁克。

母牛落網的這一幕至今仍逗留他的腦海。很多次，他夜半夢見這頭母牛，驚醒過來，躺在床上，望著迴旋的黑暗。有幾次，他驚醒時，天色已亮，他怕再睡著，於是悄悄下樓，輕輕開門，溜到外面，走在無人的街上，嗅到破曉的氣息。時辰那麼早，除了他之外，路上只有一個敲窗人——一位駝背的老婆婆——以黑色的羊毛披肩罩頭，遮不住白髮，手持長棍子，挨家挨戶敲著樓上的窗戶，等著聽睡意惺忪或脾氣火爆的應答，叫醒人後繼續走。小普萊爾跟著她，找到牛欄，進入孩提時代最深刻的一段友誼。

現在，普萊爾離開牛欄，走進高聳的養牛場，這裡寬廣如大教堂，聲聲迴盪。他來回走著，在高大的天花板之下顯得渺小，想像這地方原本的模樣。如果在每週固定的日子進來，這裡依然熱鬧。他記得大雨叮咚敲打屋頂鐵浪板的聲音，想像他第一次與邁克在這裡過夜的情景。普萊爾四下張望，空盪盪的隔間突然站滿惶恐的牛，守牛員提燈來回巡視著，牛角在天花板上揮舞出巨大的影子。由於空間太擁擠，有些牛會窒息而死，守牛員的任務是儘早發現異狀，趕快通知屠夫過來，因為如果牛在屠宰之前斷氣，牛肉不適合人類食用，只不過有些仍會以「布拉克西肉」之名，流入市面，出現在赤貧階級光顧的店裡。死牛的肉沒有利潤可言，因此牲口狀況緊急時，看似瀕臨死期，守牛員必須趕快通知屠夫。守牛員的任務是值夜班，整晚不睡，但由於他們白天趕牛，路途漫長，有機會回家，當然想與妻子或女友同床，所以把值夜的差事外包給邁克，一夜一分錢。小邁克很稱職。碰到不安分的母牛，即使是嗅到血味而造反的牛，小邁克不但能安撫她們，甚至能拿著檸檬水的瓶子去擠奶。普萊爾現在依稀看得見他，擠在汗水淋漓的高大牛身之間，踩到綠屎打滑，而牛屎總有那種令人恐懼的氣味。小邁克哄著母牛，對她們低語，撫摸著，頭貼向牛身，然後得意洋洋帶著暖呼呼的鮮奶回來，與小普萊爾共飲。養牛場的角落有捆疊成堆的乾草，兩人並肩坐在上面，輪流拿起瓶子猛灌。喝完後，兩人好比生意人品嘗著上等雪茄，拿著邁克從街頭撿來的菸屁股，慢條斯理地抽著，慵懶而優閒。

普萊爾這時走向那堆乾草坐下，菸頭在黑暗中宛如一顆小行星閃耀。夜幕迅速籠罩而來。他隱約看得見牆上有一支鐵釘。小時候，他與邁克總以那支鐵釘為標靶，看誰的尿尿比較準。他的想像從鐵釘飄向校園遊樂場。他記得不少邁克在遊樂場上的往事，也記得一些邁克在課堂上的往事，但後者的歡樂場面屈指可數。小邁克渾身髒兮兮，一頭亂髮，穿大人的鞋子，夾克的袖子太長，只有指尖外露。此外，小邁克老是挨揍。普萊爾心想，一開始他以為邁克比其他同學更常挨揍，是因爲邁克比別人調皮。但現在，普萊爾傾向於認定，在那所一無可取的學校裡，他受的教育唯一寶貴的一點是，他學習到挨揍與調皮無關。邁克的母親黎姿從事什麼行業，人人都知道。她只來學校一次，那天她講話口齒不清，在走廊上拉開嗓門，師生望向教室窗外，見到她抑揚頓挫的憤慨，氣得帽子上的羽毛一抖一抖。同學揍邁克揍得太兇了，想必她是來學校抗議的。如果她的來意是抗議，她這一趟是白來了。她前腳一跨出校門，小邁克又挨打。普萊爾記得打人的場面，記得當時感受到情緒壓力帶來的痛苦：恐懼、憐惜、憤怒、興奮、快感，種種情緒積壓在胸口。他這時懷疑，那份快感該不會像記憶中一樣帶有性快感的成分吧。應該沒有。

有一次，小邁克挨打過後，普萊爾背對著欄杆坐著。欄杆隔離男女生的遊樂場。小普萊爾嚼著三明治，看著邁克。邁克背著喬．思麥爾斯，被壓得搖搖晃晃，在遊樂場來回奔跑，指關節受傷結痂，髒手緊握思麥爾斯的粉紅色肥腿。邁克是一隻麵包馬：他讓同學騎著玩，以換取麵包屑或蘋果核。邁克的家境不窮，這一帶比他家窮苦的家庭多的是，奈何母親黎姿經常醉醺醺，無能供應規律的三餐。這一天，小普萊爾目睹邁克被人騎的景象，心情特別紊亂，視線固定在邁克的臉上，看著邁克來回踉蹌著，因爲普萊爾領悟到一件事實：他和邁克同樣欠揍欠踹，但由於他的儀容乾淨整潔，成績優異，可望贏得獎學金，爲治學成效不佳的本校爭光，所以才逃過同學的拳腳。想到這裡，普萊爾對著第二個三明治咬下去，嚼著，哽咽。普萊爾突然站起來，衝向遊樂場，把剩下的三明治塞進邁克的手，淚水潰堤，匆匆跑走。

有了汰特街坊小學，誰需要馬克思呢？普萊爾這時心想。他把菸頭戳進金黃色的乾草，小心捻熄，心思仍沉浸在往事中。他站起來，開始來回走動。月亮出來了，月光夠亮，把他的影子映在地上。最初意識到邁克，是因爲地板上多了一道身影，接著一支手落在肩膀上，有人以輕盈、略帶笑意的語音說：「聽說你上過我母親，是眞是假？」

普萊爾轉身。「憑什麼這樣說？」

「你不是講了一堆『謝天謝地，終於碰到一個誠實的男人』？不然還能怎麼解釋？」

「我是做那種事的人嗎？」

「我不曉得。在戰前，原野有母牛，你要是能找到一隻比較不會亂動的，你連母牛也幹。」

公牛**也是**。「邁克，我發誓——」

「不計較了。假如我計較這檔子事，我老早就翹辮子了。」邁克微笑著。這話近乎消遣他，但不盡然是玩笑。

普萊爾說：「要不要坐一下？」

兩人在草堆上坐下，相隔幾呎遠，泉湧的往事讓兩人既分又合。有月光照耀，也有間歇的菸火，兩人彼此看得夠清楚，能判斷對方的表情。

「看來，下午躲在廚房裡的人確實是你，」普萊爾說。「被我猜到了。」

「不然你會猜誰？」

普萊爾遲疑著。「我還擔心說，可能是哪個被唬呆的小逃兵哩。我擔心他會——」

「如果是，你會怎麼辦？」

「舉報他。」

邁克以好奇的眼光看他。「你不是才說，他是個『被唬呆的』可憐小子嗎？」

「對。被唬呆卻不逃兵的可憐小子怎麼辦？」

「哼，至少我們現在知道各人的立場是什麼。」

「我不想劈頭就對你撒一堆謊話。」

邁克大笑。「你剛不是才對荷娣撒幾個謊？檔案部門的那個小姐幫你調檔案。我的天啊，比利，你一定是把小姐搞得神魂顛倒了。」

「說啊，邁克。」

「好，要我說，我就說。我突然覺得，以你的條件，你最適合被他們收編。你既有軍官階級，腔調又高尚，而且你還有一堆……」邁克故作嬌柔姿態，手按自己胸部。「低層級的友人。今晚在軍官福利社享福，明晚去索爾福德的暗巷打混。左右都自在……」他微笑著，沾沾自喜於傷人的能力。「左右都自在。」

「你呢？你當然是緊緊嵌進愛心無限的無產階級胸脯裡，對吧？好，讓我告訴你，邁克，跟我同一陣線的那一部分的無產階級——也就是絕大多數人——他們一看你不順眼，連眼皮也不會眨一下，就近找一根路燈，馬上把你吊死。至於你那些鬧罷工的軍火工人……」普萊爾對著養牛場裡面做出舉機關槍掃射狀。

場面頓時被震撼得無言，彷彿這番幼稚的舉動確實導致慘重的死傷。

「別以為他們不會。他們會的。我很清楚他們。」

邁克說：「工人互相開槍，你竟然能想像出那麼大的樂趣，我很訝異。」

「沒有樂趣，邁克。面對現實而已。」普萊爾從制服口袋掏出一壺酒，遞給他。「來，和著吞下去。」

邁克扭開壺蓋，喝一口，被嗆得淚水激增，眨眨眼，然後還給普萊爾，壺嘴不擦。遲疑片刻之後，普萊爾也喝酒，邊喝邊想，這種近似聖禮的交心之舉空泛無意義。檸檬水瓶裝鮮奶，不擦瓶口就喝，那份交情是上輩子的事了。

「你還是不解釋嗎？」邁克說。

「檔案的事？我在情報處上班。」

邁克不由自主，微微動了一下。

「假如我通報，他們早就來抓人了。」

邁克微笑。「跨圍牆坐，兩邊各掛著一條腿，滋味一定很棒吧？這樣坐，對睪丸不太好，只要你不在意就沒關係，對不對？」

「它們好得很，邁克。要擔心，擔心你自己的吧。」

「喔，原來如此。我剛還在猜，什麼時候才吵得起來。男與男之爭，是吧？」

「不是。我看得出來，想成爲和平主義分子，沒勇氣是做不來的。至少我認爲是這樣。只不過，我的問題在於，我不明白勇氣的定義是什麼。我做過的事情裡面，和勇氣稍微沾得上邊的只有一件，現在卻完全想不起來當時的情形。有點像莽夫拿火鉗敲破老婆的頭，出庭推說：『報告庭上，當時大腦一片空白。』」

邁克點頭。「哼，既然你想說實話，我認爲，有些人屁話講了一大堆，說什麼反戰需要多大的勇氣。那次我從克來德河被遣返，他們半夜過來抓我。我前一分鐘還夢到長著漂亮大奶子的金髮美女，睜開眼睛卻看到六個警察，拿著漂亮的大警棍。警察把我押進局裡，圍住我，開始推我，只用手心，把我推過來推過去，每個警察都在奸笑，有點緊張的味道，我知道接下來會碰到什麼。我知道，他們是在煽動自己的心火。一般男人要費多大的力氣煽動心火，才做得出眞正殘暴的事，好令人意外。你嘛，對這種事最清楚。」

「對，」普萊爾面無表情說。

「我那時候嚇得屎滾尿流了。不過我想一想，沒關係，警察又不會打瞎我，不會拿火熱的金屬板燙我脊椎，不會轟掉我的頭蓋骨，不會在沒有麻醉的情況下砍斷我的手腳。既然都不會，我幹嘛害怕？上法國戰場的士兵，人人都會面對以上的狀況。我當時問自己，我能面對嗎？我能通過考驗嗎？不過，我想，比利，我和你的差別是，你認爲這種問題是『非常重要的問題』，而我卻覺得是他媽的雞毛蒜皮小事。」

普萊爾斜眼瞧他。「不對，你不覺得是小事。」

「好吧，你說對了。」

「你總能自稱你展現道德勇氣。」

「哪有那種事？這不就像中世紀的『以戰代審』嗎？到最後，道德和政治的眞理都必須由肉身來驗證，因爲人體是由神經和肌肉組成的。」

「那種想法非常危險，很接近說，受苦的意願能證明信仰之合理性。問題是，無法證明。頂多只證明信者的誠意。而且不一定能證明誠意。有些人只是喜歡受苦而已。」

邁克環視養牛場。他說：「我不認爲我喜歡苦難，」但他似乎已厭倦爭論，或者是被威士忌軟化了心境。「我常想起那些日子。」

普萊爾等著。「你可以信任我，你應該曉得。」

「我誤信了史布拉葛。」

「你又沒有跟史布拉葛比賽誰的尿尿比較準。」

「喔，是這麼一回事啊？我們是尿著玩的哥倆好。」

普萊爾呵呵笑。「差不多。」

沉默許久。「你要的是什麼？」

「我要你說出你對史布拉葛的所知。」

邁克憋不住笑出來。「媽的，他是你的員工啊。」

「已經不是了。身分在法庭曝光了。」

「那就好。」

「前一天晚上，他跟你在一起，不是嗎？」

「是我叫他去找碧蒂的。」

邁克必定覺得此事難以忍受，普萊爾心想。邁克對洛葡家是欠盡了人情債。當年若沒有碧蒂關愛，他勢必淪爲一個傷痕累累、灰頭土臉、備受冷落的小孩，近乎文盲，長大只適合趕牛與屠宰場的工作。碧蒂接納他。到了十三歲那年，邁克住洛葡家的日子比他與生母同住的日子多。街頭的狐群狗黨裡，男生年紀大到一定程度，憑空臆測性事已經不夠看，開始登上黎姿的樓梯，追尋更爲具體的資訊，更令邁克覺得自己的家難以忍受。有一年夏天，邁克不告而別，踏上趕牛路，久久不回家，最後回來了，大了幾歲，心腸變硬，嘴角與眼角初露幾絲憤世嫉俗與心死。碧蒂看不下去了，跳出來接管母職。「你到底是怎麼一回事？」她問。「你認得字，對吧？老師認爲你笨，並不表示你是眞的笨。有些老師自己的腦筋都不太靈光。來，讀這個。喂，快讀啊。我想知道你的讀後心得。」

「史布拉葛原本的目標是你，對不對？」普萊爾問。

「對。」

「你是不是認爲，她眞有暗殺首相的意思？」

「哪有？碧蒂的個性，你不是不懂。蜘蛛掉進洗手臺，她會撕下一小片報紙，把蜘蛛救去院子放生。」

「嗯。我在想，假如首相掉進洗手臺被她發現，她會怎麼辦？」

「開水龍頭，沖掉王八蛋。」

兩人相視爆笑。

邁克說：「如果供詞眞有幾分可信度，歪主意的出處一定是史布拉葛。而且，我認爲，協助越獄很接近史布拉葛的想法。他以前試過。」

「對誰試過？」

「查理．戈立佛斯、喬．哈斯威爾。史布拉葛提供炸藥給他們，提議他們去炸掉軍火工廠。他說他知道哪裡弄得到炸藥。唉，講什麼鬼話，炸藥是隨隨便便弄得到的東西嗎？他們不肯，史布拉葛立刻打退堂鼓，推說他不是那個意思。」

「聽他這麼說，你還把他介紹給碧蒂？」

「這是後見之明，老弟。鬧出風波之後，這事才徘徊在我的腦海。在當時，我只在心裡嘀咕，天啊，又碰到神經病。」

「你可以叫他們寫下來嗎？可能的話，把日期也寫清楚？」

「我連他們住哪裡都不清楚。」

「邁克，看在碧蒂的份上。」

邁克尖聲嘆氣。「你要這做什麼？」

「當然是用來摧毀史布拉葛的可信度。」

「法院才不肯重審這個案子。」

「對外是不會，不過，有可能會釋放她出獄。檯面下。邁克，她再不出獄，會死在裡面的。她不可能活過十年。」

一陣綿長的沉默。

「我不是叫他們寫下自己的罪狀。他們只要寫說：『他主動提供炸藥，被我們拒絕。』」

「你以爲，他們講的話會被法院採信？」

「我認爲，採信的可能性高出你的想像。很多人質疑軍火工廠裡的臥底方式。邁克，有些臥底的間諜比你更會策動罷工。」

「好吧。」邁克站起來。「給我幾個星期。」

「要那麼久？」

「我告訴過你了。我不知道他們住哪裡。」

「我怎麼聯絡你？」

邁克笑說：「聯絡個屁。來，你的地址給我。」

普萊爾接下紙筆，寫下聯絡方式。「可以了嗎？」

「千萬別寫信給荷娣。她家的信全被拆開檢查。另外還有一件事，」邁克湊得非常近，雙手重重放在普萊爾的雙肩上。「比利，如果這是圈套，你就死定了。別忘了，我不是他媽的貴格會教徒。」

一時之間，肩膀上的壓力加重，隨後邁克才轉身走開。

普萊爾決定抄捷徑回家，橫越造磚場地。這片荒原總令他聯想起法國。污水坑倒映著昏暗的天色，長草被風吹得直不起腰，廢金屬鏽蝕，垃圾發臭，一座生鏽的鐵床架豎起來，黑色的尖角聳立，輪廓映在地平線上，可供巡邏士兵作爲地標。

普萊爾自覺與軍官同事有許許多多的相異之處，其中一點是**他們**心目中的英國是個充滿鄉野情趣的地方，有原野，有溪流，有林木蓊鬱的山谷，有古榆樹環繞的中世紀教堂。他們無法理解的是，對普萊爾而言，對絕大多數的弟兄而言，前線不是老家的對比，前線的相反不是伯明罕、曼徹斯特、格拉斯哥、威爾斯的煤礦村。前線把個人降級爲機器裡的螺絲釘，前線把地貌轟炸得淒涼，是夢魘的極致。「左右不自在。」邁克曾說。他的話很貼切。

普萊爾逗留片刻，聆聽夜晚的雜音，記得童年晚上睡不著，他會坐在椅子上，等父親回家上了床，確定母親安全了，他自己才肯睡。引擎隆隆響，咳嗽，嘶嘶咻咻。卡車轉彎，擋泥板互撞。幾條街之外，有個醉漢高歌起來：「溪旁有座老磨坊，妮莉．迪恩。」

該回家了。他原本只想出門一會兒，沒想到在外面待這麼久。他加快腳步，穿越荒廢的製磚場，邁著自信的步伐前進，不料，一腳踏空了——應該是踩滑了，整個人順著陡坡滑進漆黑之中。他躺在坑底的泥濘上，仰望長草交織的天空，沒有受傷，但跌得一時呼吸暫停。慢慢地，他的心跳緩和下來。從坑裡望天，星星比較亮，正如在戰壕裡的情形一樣。他伸手摸索，想尋找支點，手指摸到類似岩架的物體，張手在表面拍一拍，全身呆住了。是射擊踏臺。不可能，卻是千眞萬確。他失去方向感，心生恐懼，繼續再往前摸索，摸到一個孔，旁邊另有一個孔，接著又摸到一個：掩蔽坑，從黏土挖出的坑。果然是戰壕。即使在他理智動搖之際，他仍極力尋求解釋。男孩常來這裡玩耍。街頭的小混混。想必是花了幾個月，才挖這麼深。但話說回來，也許這一座是陳年老戰壕，也許與眞正的戰壕同樣久遠。他爬出洞口，站在他懷疑是無人地帶的地方，向遠方一望，果然，敵軍陣線就在那邊。

他暗笑著，不願承認這樁怪事對他的震撼有多深切。他繼續走，現在走得比較謹慎，最後抵達另一邊的欄杆。他在發抖，不得不握住欄杆，穩住身子。

他的叛逆心被震出來了。他決定，還是不要直接回家算了。父母小吵，被他目睹，對他們無益處，對他的心靈則會造成嚴重傷害。喊停的時候到了。他想去小酒館。哪一間呢？瑰冠正好在回家的路上，黃銅門開開合合，嗝出一陣陣啤酒味的暖風。進去吧。他想進去做放假士兵返鄉會做的事。買醉，遺忘。

撲鼻而來的是人身悶出來的暖流，熱到鼻皮的毛孔擴張而刺癢癢。他觀望著一張張紅暈而喧鬧的面孔，在遠遠的角落瞧見梭普與萊利太太，與一堆吱吱喳喳的女人同在。他決定過去請她們喝酒，畢竟，往年她們也招待他喝了不下千萬口。他接近時，一陣認出人的驚呼聲迎面而來，整群醉醺醺的人群站開接納他。

兩小時之後，哈利．普萊爾蹣跚走回家，抬起迷茫的眼睛欣賞滿月，萬里無雲，月亮高高掛。運河上有一座橋，他過橋一半，停下來，想解內急，順便賞月。月亮倒映在河面上。一泡熱尿灑在橋壁上，順著圓石縫唰唰涓流，他向下看著月亮的倒影，懷疑月亮怎會上上下下蹦個不停。他抬頭確定正牌的月亮乖乖不動，然後再次低頭細看倒影。

可惡，哪來的倒影？是屁股啦。我的天啊，那小子眞努力。哈利有點想替他加油，卻有所顧忌。最好不要吧。恐怕被誤認是偷窺狂。他進一步彎腰向下瞧，身體緊貼粗糙的花崗岩面，希望再看清楚一些。女人全身只露出膝蓋。媽的，誰想看男人屁股跳上跳下的？媽的，兩粒高爾夫球。幸好，還能遐想出大概。家裡的那個，膝蓋黏在一起，能做個屁？他對著橋壁磨蹭下身，追求快感，接著繼續漫步回家，心情淒涼。

「橋上有人。」

比利・普萊爾轉身，但看不見人影。他聽著漸漸遠去的腳步聲。「走掉了。」

女人的身體繃緊了，縮頭挨向他。他只好從頭來過。他親吻芳唇、鼻子、頭髮，然後在通體暢快之中垂頭，感覺到，整個該死的國家所有的禁忌，一個個在他耳際墜毀，他顧著吸吮萊利太太的乳房。

第二部

第十章

普萊爾回到倫敦，走進濕黏、悶熱、多雷的天氣。婁德少校比平常更難相處，原因除了天氣之外另有其他。由於戰爭部想統籌情報機構，婁德的部門面臨裁撤的命運，因此少校正力挽狂瀾中。推動這項變革的是最高層，普萊爾得知的內情極少，但他觀察到，隨著婁德的情報處開始崩塌，婁德的性情一天比一天兇，藍眼變得更脆弱，八字鬍更需加強抹貼撫弄呵護。奉上級之令，情報處的檔案即將轉往戰爭部。婁德將檔案稱爲「本處之腦細胞」（普萊爾心想，願上帝保祐本處）。在檔案移交之前，「清理」檔案的工作落在普萊爾的身上。起初，普萊爾認爲這項任務只是尋常的文書作業，或許用意在於避免他閒得有空亂來，但他不久得知，婁德希望普萊爾將「敏感資料」轉交給他。換言之，過濾檔案的過程中，如果普萊爾發現情報處嚴重失職的證據，必須在移交之前加以毀滅。檔案的數量共有八百多份，清理的任務雖然艱鉅，卻正合普萊爾的心意，因爲這項工作解決了他目前最大的難題：從眾多舊檔案裡蒐集史布拉葛的行事證據。

普萊爾忙著過濾檔案，工作得還算開心，只不過他並不覺得特別安好。回倫敦四天之後，他遇到一件痛心的事。

那天，他去附近小酒館吃午餐，買一杯啤酒，照慣例掀開《泰晤士報》，閱讀陣亡名單。赫然出現在眼前的是一個人的姓名。

吉米．菲德列克．霍爾上尉，四月五日執勤期間陣亡，是霍爾先生摯愛之次子……

吉米．霍爾。他與吉米當初在騎馬場上相識。當時兩人繞操場騎馬，馬鐙交叉在前，雙手抱後腦。訓練正確騎馬姿勢。紳士的坐姿。普萊爾已親身體驗過戰壕戰，對這種訓練既憤怒又覺得好笑，但他把這兩種感受壓在心底，因爲他深信，除了他之外，沒人能體會這種訓練多白癡。最遲鈍的當然是騎馬迎面而來的這個面無表情的低能兒。騎馬交錯而過的同時，普萊爾瞧見對方的眼神，發現對方並非無表情，而是強忍住笑意，忍得臉皮僵硬，看見普萊爾也同樣笑在心裡，吉米再也忍俊不住，哇哈哈大笑，從馬背上跌下去。

普萊爾環視小酒館裡的景象。狀似事業有成的男人身穿細條紋西裝，在酒吧前推擠，銅板敲得叮咚響，對著栗褐色頭髮的吧台美女獻上油滑的笑臉。而吉米死了。可憐的小混蛋生前的心願只有娶……忘了她叫什麼名字。在銀行上班。此時此刻，普萊爾最宏大的願望無非是喚來一輛坦克車，破門而入，輾死所有人，好比戰場上來不及救走傷兵，索性直接壓過去。他眼見斷肢，耳聞慘叫，腦海編織的一幕幕情景令他膽戰心驚。

他吃不下去了。他打算喝完這杯啤酒就走。但當他舉杯之際，琥珀色的杯光閃爍，勾住他的注意力。日光穿透啤酒杯而過，在桌面投射一環晶瑩的金光，他的手一動，杯光也隨之起舞。他開始來回擺著手，玩弄著光輝。

他回到辦公桌。時空毫無間距。前一秒，人在小酒館，剎那間整個人變回辦公室，端坐辦公桌前。他望向緊閉的辦公室門。眨一眨眼。心想，我剛才一定是睡著了。他覺得身心輕鬆，但沒有午睡過後那種混沌感。他原本閱讀著《泰晤士報》……吉米．霍爾死了。他不記得自己離開了小酒館。想必是進入夢遊狀態，一路走回辦公室。他看手錶，頭腦極力辨別長短針的相對位置。四點十分。

午休至今已過三小時，而這段空檔裡的作息，他只記得大約二、三十分鐘，其餘一片空白。

他逼自己辦公到六點。這不算什麼。在法國，桌子經常被震得騰空幾呎，他照常辦公不誤，現在絕對能應付這點小小的干擾。然而，過濾完畢的檔案被放在另一疊，他一面辦公一面留意到，意識的邊疆有一股聲音喊著，這件事才不是「小小的干擾」。剛剛發生的事是重大災變。

六點過幾分鐘，他好像聽見人聲，開門向外查看，在走廊走幾步，看見婁德少校站在電梯前，正在與史布拉葛交談，旁若無人，交談的內容不得而知，但普萊爾注意到，電梯來時，婁德熱情與史布拉葛握手。普萊爾悄悄回辦公室，門不關。

他盤算著，等婁德走過門口時，他可以隨便問一小件事，把婁德引進門，但這番盤算是多餘的。婁德來到門口停下，奸笑著說：「我剛見過史布拉葛。」少校以乾脆而高尚的口音說：「你對他做了什麼事？」

「我？沒有啊。」

「他說你有意給他一份工作。」

「我哪有？恐怕是他一廂情願吧。」

「他嘛，好像是認定你確實有意。我剛才不得不告訴他，沒這回事。沒就沒。」婁德凝望他片刻，然後以脅迫的語氣，以近似保母唱兒歌的態度說：「他一口咬定你了。」

婁德關門離去的時候，普萊爾暗罵著，畜生。你的臭部門被裁撤，又不是我的錯。

快六點時，雷聲開始隆隆，斷斷續續在天邊嘟噥著，但日光依然耀眼。普萊爾繼續辦公半小時，最後辦不下去了。自從他回倫敦後，頭天天疼，痛得厲害，他認爲起因是天候不佳，但他其實心知，頭疼的起源是誤入小孩挖的戰壕。他考慮去稱頭一點的餐館吃晚餐，寵愛自己一下。

走到門口，站在大門前的臺階上，一陣急雨剛開始滂沱而下。他抬頭，想研判這場陣雨會下多久。一派白花花的日光穿透薄雲而下，但烏雲正在納爾遜紀念柱上空盤踞。他回樓上拿長大衣。路過婁德的辦公室時，他聽見陌生人說：「你認爲他信了嗎？」

婁德回答：「應該信了吧。我看不出他憑什麼不相信。」

普萊爾繼續走向自己的辦公室，把沉重的長大衣套上身，走回電梯。這次電梯總算一按就到，伴隨著錚錚的纜繩聲與開門聲而來。他告訴自己，沒理由把剛旁聽到的對話與自己扯上關聯，但他難以不往自己身上硬扯。情報處目前人心惶惶，諜影幢幢，有陰謀更有反陰謀，許多謀略似乎是白費心機。到目前為止，他尚能明哲保身。

地下車站人擠人。他站在月臺邊緣等車，一股股死氣沉沉的熱風撲向他的臉。上級禁止軍人手拿外套，他無法脫掉長大衣，熱汗往腰間直流。他不知不覺納悶，這種反應也許不算過度，也許自己並非真的發病了。地底傳來一陣隆隆聲，火車轟然鑽出隧道口。他在門邊找到空位坐下，瞄一眼鄰座的女孩。這位小姐的頭髮垂軟無力，頸部有一種皺紋深重而臃腫的白皙，裙子與白上衣皺亂，卻自有一份魅力。普萊爾瞥向她上衣的頸部開口，瞄她雙峰之間的陰影，然後強迫自己轉移視線。他覺得，女人這種皺皺的模樣異常有魅力。

大理石拱門不遠處有一間小餐飲店，他進這裡用餐。這間餐飲店的內部不如外表那麼宜人，牆壁褪色成病懨懨的淺褐色，凝結在窗戶上的水珠向下亂竄。女服務生進出廚房時，對開門開開合合，嗝出陣陣熱氣。普萊爾飯後點了一根香菸，喝了兩杯熱騰騰的橙色甜茶，勸自己相信自己舒坦多了。

他的公寓位於地下室，有一道迴旋梯直通，小客廳窗外是一座小前院。所有房客的垃圾桶全放在前院，因此甘藍菜的腐臭味彌漫，晚上普萊爾不時聽見翻垃圾的窸窣聲，儘量叫自己相信是貓。他把鑰匙伸進鎖孔，開門進入。玄關陰暗但不陰涼。他把公事包與大衣扔向椅子，拉掉領帶，從走廊進浴室，放一缸冷水，壯膽坐進去。泡水的皮膚顯得浮腫，一行行銀色氣泡受困在陰毛裡，他以手指撩過，釋放小泡泡，然後握住浴缸的邊緣，把頭沉進水面下。

他走出浴缸，裹著大毛巾，打開落地窗，外面是小院子。他在床上躺下。儘管窗戶開著，屋內的悶熱卻不減。促進空氣流通的方法只有一種，就是同時打開落地窗與正門。但正門一開，甘藍菜的臭味也會飄進公寓。

他的頭在痛。他轉身望著床邊莎拉的相片。莎拉坐在某種雕像的最下一階，比現在年輕幾歲，豐滿而不胖，頭髮不紮，幾乎蓋住額頭。相片中的莎拉很美，但他覺得當時的美貌比現在平庸，因爲如今莎拉的頰骨更明顯有型，頭髮向後紮，露出飽滿的額頭。她的笑容也變了，相片裡的微笑顯得友善、親近、近乎初生的幼犬。如今她的笑容依然熱情，卻總是顯得有所保留。過幾星期，莎拉即將前來相見。確切的說法是，她幾乎確定能來。普萊爾深怕自己太指望這件事。他不敢想像莎拉置身這間公寓的情境，因爲他知道，照這樣想像下去，莎拉的空影無法滿足他空虛的心靈，更令他難以忍受。

他最需要的是出去走走。這些日子以來，他規避惡夢的方式是傍晚出去夜遊，睡前大灌滿滿三杯威士忌。瑞佛斯料中了，普萊爾不情願地理出結論：安眠藥只在最初幾週有效，失靈之後，夢魘會捲土重來，威力加倍。至少在散步與威士忌的作用之下，他能在惡夢再起之前安睡幾小時。

入夜後燠熱不散，他走在市街上，似乎覺得，人行道與無人的白陽臺對著他的臉，猛吹著蓄積一天的熱氣。他最喜歡散步的地方是海德公園。他喜歡塵土飛揚的樹蔭，喜歡遠處閃現波光的九曲湖。接近湖畔的地方甚至有颯颯微風。他駐足觀看三個上衣塞進內褲裡的小女孩戲水。接著，兩個較大的女孩挽著手散步過來，他把視線轉向她們，但他眼中的飢渴太明顯，女孩解讀出涵義，快步走開，嘻嘻笑著。

他覺得心情浮躁，但這一次總算無關性慾。他有一種明確而極為異樣的感受，一心想置身他處，想去一個確切的地方，卻不清楚地點是哪裡。他開始走向阿基里斯（譯註：Achilles，除腳踝之外刀槍不入的神話人物）雕像。晚上散步時，這裡常成為他的指標，原因不外乎這座雕像威風凜凜，既令他著迷，也讓他排斥。童年的普萊爾極為欣賞〈輕騎兵旅的進擊〉（The Charge of the Light Brigade）這首詩，而這座雕像似乎象徵詩中那份貿然崇拜勇氣的意境。普萊爾至今仍覺得這首詩的意義重大，但如今對他的意義複雜許多。他仰望這座偌大的雕像，看見阿基里斯高舉劍盾進攻，不只一次心想，雕像象徵的理想再也不具合理性。

他有一份未盡滿意的感受，彷彿預期這次散步另有目標，而非只照往例過來瞻仰阿基里斯。他轉身離去，這時注意到，有個男人站在樹蔭裡，猛盯著他看。是嗎。黃昏流連公園的小伙子免不了體驗到注目禮。他刻意加快步伐，不料頸背的細毛紛紛聳立，一秒之後，他聽見有人喊他的名字。

萊諾．史布拉葛拖著龐大的身體走向他，喘不過氣，態度哀愁。「你想去哪裡？」他質問。

「回家。」

這時候走來一群年輕人，大約五、六個，肩並肩，挽著彼此的手臂，踏著同一條步道而來，通過史布拉葛時，像河水撞岩石一樣繞過，繼續往前沖刷。後面另有兩個男孩跑步跟上，以手肘推開史布拉葛。趁著這陣騷動，普萊爾走開。

「喂，等一下，」史布拉葛喘著氣追來。「怎麼能說走就走？」

「爲什麼不能？」

「那又怎樣？」

史布拉葛拍一拍手錶。「阿基里斯。九點。」

史布拉葛面露眞心疑惑。「人都來赴約了，幹嘛不想談事情？」

普萊爾開始覺得惶恐。「我只是出來散散步。」

「你是來見我的。」

「是嗎？我不認爲是。」

「你**別裝傻**。」他瞪著普萊爾。「哼，你這次是糊塗透頂了。你明明告訴我，『我現在不方便商量這事，九點在阿基里斯見。』沒必要否認吧？你說說，看呀，有否認的**必要**嗎？」

史布拉葛的身體散發臭味，襯衫齷齪，下巴有三天未刮的鬍碴，而且喝了不少酒，眼球布滿血絲，**但他是打從心底疑惑**。

普萊爾說：「好吧，反正我正好來了。你想商量什麼？」

「假如你沒來，我準備去敲你家的門。」

「你又不知道我住哪裡。」

「知道。我跟蹤你回家過。」

普萊爾笑一笑。以狂嘯代替震驚。

「等火車時，我排在你後面。上車以後，我和你相隔三個位子。」史布拉葛以食指對準太陽穴，比畫幾圈。「建議你多留意一下。初期徵兆如果不留心，恐怕會被送進瘋人院。」

「滾。」

史布拉葛抓住他的手臂。「你不想聽聽我想說的東西嗎？」

「不太想。」

「你想啊，怎麼不想？」史布拉葛說，做出取信對方的態度，湊近他，對著他的臉孔呼氣。

「來吧。找地方坐一下。」

他們找到一張長椅坐下，另一端坐著一名老婦人，正在餵松鼠吃果仁。普萊爾看著松鼠以黑色小手翻轉著果仁，動作輕巧。「有話快說。」

「我記得我在哪裡見過你。」

「是嗎？」

「在利物浦的一場集會。你那時候發言支持戰爭，你父親發言反戰。」

「快講重點。」

「我對你的瞭解不少喔。一挖下去，竟然能挖出很多東西，而在我還有工作可做時，任務不正是挖掘事實嗎？」

「你的任務不是挖掘事實，」普萊爾說得乾脆，「而是捏造事實。」

「你和洛葡家。你們以前像這樣。」史布拉葛交纏食指與中指，衝著普萊爾的臉。「打得火熱喔。跟邁克道伍也是。」

「所以上級才派我去。」

「對呀，趕我走，推你進去。」

「我開始上班是在你離職一年以後。」

「你告訴我說，我有工作可做。」

「我沒有。」

「明明有。那天我直接回家告訴老婆好消息。後來一直沒有進一步的消息，我才去找婁德，被他趕出門。可惡，他居然嘲笑我。」史布拉葛將眼角向下歪的藍綠眼珠轉向普萊爾。「你約談我，只是想壓榨我，逼我說那個老賤婆被我陷害。」

普萊爾站起來。「嘴巴洗乾淨再來找我。」

「就知道你會生氣。你跟她呀，你們——」

普萊爾交纏食指與中指。「像這樣？」

史布拉葛瞪著他，太陽穴有一條青筋暴突，宛如濕冷的皮下有蠕蟲。「人是不會變的。」「對，我同意，人不會變。我以前支持社會主義，現在也支持社會主義。以這場戰爭而言，我不必對你證明愛國心。我沒有答應給你工作。你如果眞的告訴老婆你找到工作了，我爲你感到遺憾，不過那是你家的事，不是我的責任。好了，還不快滾蛋，少來煩我。」

普萊爾走開。他知道史布拉葛在背後叫罵，但他氣得聽不出他在罵什麼。他以爲史布拉葛可能尾隨，最後勢必大打一架。史布拉葛的個頭比較高，但年紀也比較大，肌肉也比較鬆弛。反正普萊爾無所謂。他想打一架。史布拉葛的臉孔在他的眼前飄浮：微微圓腫的鼻頭、一層薄汗、鼻孔周圍放大的毛細孔、從鼻孔向外突出的白鼻毛。他不曾如此強烈意識到外人的身體，性愛除外。他感受到的不是單純的反感，而是親密的、執迷的、深切的肉體仇恨。

回到公寓，他以冷水洗臉，然後拖著微微發抖的身體上床躺下。他把枕頭堆在背後壓住，在制服口袋裡摸索香菸。摸著摸著，他想到，他本來穿著長大衣。他下床，檢查口袋，找到一包雪茄。他沒有抽雪茄的嗜好。但雪茄在口袋裡，他必定是買了雪茄，不是自己抽，就是請人抽，因爲裡面缺了兩根。這事如同忘記約見史布拉葛一事。史布拉葛不可能爲這事說謊。這種謊話太明目張膽，太容易被一語排除。對，他一定是口頭約定過。至於何時約定，目的何在，只有天知道。

他下床，覺得手心濕黏。他走向前門去鎖門，然後背靠著門站著，望向黝暗的走廊，看著半開的臥房門，陡然心生一股如釋重負感，慶幸自己被反鎖，但他旋即斥之爲無稽。無論他需要怕的是什麼，他怕的東西就在門的這一邊。

第十一章

停頓片刻之後，瑞佛斯問：「之後呢？還發生過同樣的現象嗎？」

「對，不過後來那幾次，好像跟別人無關。我不認爲有。」普萊爾歪著嘴巴。「我哪知道？」

「沒有人講話？」

「沒有。」

「多少次？」

「七次。」

「這麼多啊？」

普萊爾轉移視線。

「每次多久？」

「最長的一次，三個鐘頭。最短的一次……我不知道。二十分鐘吧？比較長的，很令人害怕，因爲不曉得自己做過什麼事……」他儘量笑一聲。「只知道自己花了不少時間。」

「我認爲，你不應該假定自己在那段空白期做了壞事。」

「你這樣認爲嗎？照你說，如果我做的是好事，我幹嘛急著忘光光？」

瑞佛斯等一會兒才說：「不然，你認爲自己可能做了什麼事？」

「我哪知道？跑去懷特查普區（譯註：Whitechapel，連續殺人魔開膛手傑克犯案的倫敦一區），找幾個妓女開膛？」

無言。

「好，**你聽我說**。」普萊爾的語氣近似面對村中招牌白癡，想與白癡講道理。「你跟我一樣明白，我我……」他猛然坐回椅子。「我不想講下去。我拒絕講。」

瑞佛斯等著。

普萊爾仍不正眼看醫師，開口說，確切而言是吟唱著，「我只有在**對方請求**之下，而且是在嚴格節制的情況下，我才會縱容自己做某一些事情。至少，在這種狀態，我不會。我只是指出，在另另另**另一種**狀態，我可能不是那麼**他媽的**謹慎。你別用那種眼光看我。」

「對不起。」

「你以爲我在無理取鬧，對不對？」

瑞佛斯謹慎地說：「我認爲，你單獨對抗這問題太久了。」

「我說的事情裡，沒有一件荒謬。」

瑞佛斯看著他的臉，這張蒼白、驕傲、歷經風霜的臉，差點嘆氣。「我當然不認爲荒謬。」

「事實是，我不知道，你也不知道，所以你沒資格置喙。」

沉默。瑞佛斯說：「最近還做惡夢嗎？」

「很嚴重。對了，我做過一個，講給你聽，你一定很爽。我夢到一個像沙漠的地方，我走在小路上，正前方有一顆眼球。大小不像這個。」普萊爾擠眉弄眼，臉頰像滾燙的燕麥粥一樣抽動。「好大一顆。有生命。而且就在我的正前方。我知道這次躲不掉了。」他微笑著。「誰知道眼球能怎麼對付人呢？幸好，小路旁邊有一條河（**river**），所以我跳進河裡，就沒事了。」他直盯著瑞佛斯（**Rivers**）。「不過呢，我猜，你的每一個病人遲早都會跳進他媽的河裡，對吧？」

普萊爾的敵意令人心驚，感覺宛如時光倒流，兩人重回奎葛洛卡，普萊爾正開始接受診治。

「你泡在河水裡，感覺怎樣？」

「不錯。河唱歌給我聽，有點像搖籃曲，一直告訴我，我今後不會有事，而我確實是好好的——只要我待在河裡。」

「你不想上岸嗎？」

「夢裡的我？不想。現在，**很想**。」

瑞佛斯攤開雙手。「沒人逼你來這裡，完全是你自願的。」

「都依賴成**那種**程度了，屁話，當然不是我自願上門。」他另想講一句話，咬牙吞回去。「對不起。」

「沒必要道歉。」突然間，瑞佛斯上身彎向桌面。「我做這件工作，目的不是想討人喜歡。」

「我確實是想道歉，」普萊爾說著，表情與語氣轉硬。「你不是常叫我坦然接受自己的情緒嗎？我現在的情緒就是想道歉。」

「這樣的話，我接受你的道歉。」

停頓一陣。「每次空白期過後，我都會做一件事。你知道是哪一件事嗎？我會看自己的手，因爲我有點以爲會看見兩手長滿了毛。」

瑞佛斯不語。

「你讀過《化身博士》嗎？」

「讀過。」瑞佛斯已久等他主動提起這種比喻。罹患解離性漫遊（fugue）症狀的病患當中，人人必以怪醫分身海德來比喻神遊的狀態，語帶輕鬆，卻並非毫無恐懼。「你知道，在眞實生活中，漫遊狀態——呃，我差點說『從來沒有』，不過確實有一個病例發生過——幾乎從來沒有以人格黑暗面呈現。通常只以不一樣的心境來呈現。」

普萊爾說：「可是，我們不知道。我現在儘量不談的話題是，我不願指出你能花短短五分鐘判定，然後說：『對，我知道，不過我不做。』」

無言。

「怎樣？」

「對不起，你不是說，你不想探討這方面的話題嗎？」

「你自己說，你做這工作不是想討人喜歡，你的態度卻好得不得了。你在奎葛洛卡使用過催眠術。」

「對，不過那次動用催眠術，目的是檢查回憶。相信催眠術有效……支持廣泛使用催眠術的人聲稱的一點是——不對，他們甚至不必聲稱，他們直接認定——藉由催眠術喚醒的記憶是眞正的回憶。但是，這種回憶通常不眞切，有些可能是幻想，或者是呼應心理醫師的提示。因爲，心理醫師不斷提示，而有些提示連醫師本身也沒意識到，這種無意識提示的效果最強大。這一點很危險，因爲多數心理醫師對解離狀態很感興趣，因此醫師不知不覺中鼓勵病患往解離狀態的路線走。醫師無法避免無意間鼓勵。即使口頭不講，不做暗示，瞳孔仍然會放大。」

普萊爾向前傾身細看。「你的瞳孔放大了。」

瑞佛斯深呼吸。「你可以用我們在奎葛洛卡用的老方法喚回記憶。你滿高桿的。」

「所以你才有這種動作？」普萊爾一手抹過雙眼。

瑞佛斯微笑。「當然不是，那只是一種習慣。眼睛疲勞了。好了，接下來我們——」

「騙人。如果眞的只是眼睛疲勞，你抹眼的動作應該隨機出現，而你不是。你在……在某件事激動你情緒的時候，才會有這種動作。或或者……你用這種動作來掩飾眞情。你剛不是才說，人眼是無法變成壁紙的一個器官——所以你只好遮住。」

瑞佛斯聽了心亂如麻。他想繼續說他講了一半的話，卻忘記剛才話講到哪裡。普萊爾對他刺探、操縱、臆測、挑釁、譏諷了數小時，終於成功了，而且是在近乎隨意的情形下達成目標。他無法否認這事；這事應該正面應付。「我認爲……如果眞如你所言，動作不是隨機——我自己不清楚，因爲我對這動作沒有意識——有可能是因爲我不想看見病患。對我來說，病患的表情和動作的用途不大，因爲我缺乏視覺記憶，所以我想，也許遮眼可專心聽病患敘述的內容。這樣解釋可以嗎？好了，我們也許應該——」

「完全沒有視覺記憶嗎？」

「完全沒有。」

「沒有視覺記憶的人怎麼思考？」

「嗯，我認爲你八成是個非常依賴視覺的人。好了，我們可以——」

「你從小就像這樣嗎？」

瑞佛斯心想，**好吧**。他站起來，示意與普萊爾調換座位。普萊爾的神情錯愕，甚至不安，但他迅速回過神來，以相當愼重的態度坐在瑞佛斯的椅子上。瑞佛斯見他東看西看著書房，換個角度審視環境。「這不是會違反醫病規則嗎？」他問。

「有哪一條規則還沒違反？我想不出來了。」

說。」

「你想不出來嗎？」普萊爾微笑得巧妙。「我倒想得出來。」

「現在由我來示範這種工作多乏味。在我五歲那年……」

普萊爾變動坐姿，上身向前傾斜，雙手托著下巴，以感同身受的溫柔語調說：「怎樣？繼續說。」

瑞佛斯其實沒有犯規。同一種示範，他已在公開演講時使用多次，現在只不過是再對普萊爾親身示範一次，但他先前示範的過程中，對象從來不會以模仿他的方式來消遣他。「缺乏視覺記憶的一種表現方式是，我待過的每一棟建築的內部陳設，我完全記不住。雖然我在奎葛洛卡長住一年多，卻對裡面毫無印象。我在聖若望醫院住了二十年，也完全沒記憶。不過，我小時候住在布萊頓，住到五歲才搬家，我卻記得屋裡的一個東西。我記得一部分。我記得地下室廚房、大客廳、用餐室、父親的書房，卻完全記不起樓上有什麼東西。後來我漸漸相信——原因恕我不深入解釋——樓上發生過一件事，很恐怖的事，所以不得不忘掉。而我為了保證自己忘得乾乾淨淨，不但是壓抑那一件事的回憶，甚至連視覺回憶的能力也一併壓住。」瑞佛斯歇口，等候回應。

「你被強暴了，」普萊爾說。「不然就是被毒打一頓。」

瑞佛斯的臉孔愕然僵硬。「我眞的不認爲有那回事。」

「你當然不認爲有囉。因爲事情恐怖到無法思考的地步，所以你才壓抑嘛。」

有句話瑞佛斯明知說出會後悔，但他非說不可。「事情發生在我父親的牧師寓所。」

「我在牧師寓所被強暴過一次。」

瑞佛斯差點脫口而出的是，普萊爾被強暴的地方不只一個，但瑞佛斯設法攔住自己。「我剛說的『恐怖』，是那種年齡的幼童認爲的『恐怖』。我那年才五歲，你沒忘記吧？有些事情發生在小孩身上，對小孩而言是嚇破膽的大事，對成人來說卻一點也不恐怖，甚甚甚至不覺得有什麼重要。」

「同樣的，有些發生在小孩身上的事情是眞正恐怖。任何年齡的任何人都會覺得恐怖。」

「對，當然是。你那年幾歲？」

「十一。我剛指的不是我自己。」

「你不把你那件事歸類爲『恐怖』嗎？」

「對。我那時候還獲得額外調教呢。」他咯咯笑了起來。「天啊，不少額外調教咧。是教區牧師麥肯濟神父給的。我母親錢都不夠用了，還想酬謝他，一個星期一先令，不過神父說：『我的善良女人，不必了。我很少見到比這孩子潛力更雄厚的男生。』」普萊爾煩躁地補上一句，「表情不要那麼驚訝啦，瑞佛斯。」

「我是很驚訝。」

「不必了。他已經獲得同等的回報，誰也不欠誰。」普萊爾忽然傾身向前，掐住瑞佛斯的膝蓋，手指陷入膝蓋骨。「凡事必有代價，不是嗎？」他更加用力。「不是嗎？」

「不是。」

普萊爾放手。「你碰到的這件恐怖的事，這件畫著粗體引號的事，你認爲是什麼樣的事？」

「我不知道。掛在門背後的晨衣？」

「有那麼糟糕啊？哇，我的天啊。」

瑞佛斯違逆普萊爾的微笑，繼續說：「我碰過一個病患。他小的時候，有一次家人不小心，把他和一條惡犬鎖在走廊裡，從此罹患密室恐懼症。那條狗對他來說是惡犬。因爲牠——」

「喔，我瞭解。那條臭狗不是眞的很兇。」

「而他的父母甚至不知道發生過這件事。」

「你說你五歲那年，發生了這件……沒發生過的小事？」

「對。」

「你幾歲開始口吃？」

「唔——五歲。」

普萊爾靠向醫師椅的椅背，微笑著。「好大的狗。」

「我不是有意暗示——」

「好了啦，管它是什麼，事情發生以後，你把自己弄瞎，省得以後再看見。」

「我倒不會用那麼誇張的動詞。」

「你毀滅了視覺記憶。你弄瞎了心靈眼睛。事情是不是這樣？說啊。」

瑞佛斯自我掙扎片刻，然後簡單說：「是。」

「你有沒有想過，你就在回憶成功的邊緣？」

「有時候。」

「你有什麼感想？」

「恐懼。」他微笑。「因爲兒童的情緒仍依附在那件往事。」

「又回到那件晨衣了。」

「對。對。恐怕是的，因爲我眞心相信，事情可能就那麼單純。」

「這樣的話，我只能鼓掌。」普萊爾說著用力鼓掌三聲。

「你知道嗎……」瑞佛斯遲疑一陣，然後再說：「記憶出現缺口，你千萬別隨便塡空……不要假想出妖怪來塡補。我認爲大家都有同樣的傾向。每次往事一出現空檔，我們會對著那段空白投射最害怕的事物。中世紀的地圖專家奉行的一條準則是，**未知領域以妖怪註記**。不過，我建議你，儘量不要做這種事，因爲胡亂塡空，反而害自己接受一連串的消——消極假想。」

「好吧，我儘量避免就是了。我會改信瑞佛斯的地圖製作準則：**未知領域以晨衣註記**。畫幾條狗也行。椅子還給你吧。」普萊爾坐回病患的座位，喃喃說：「你知道嗎，瑞佛斯，你跟我的神經官能症一樣嚴重。這可不是說著玩的。」

瑞佛斯以雙手托著下巴。「你對這現象有何感想?」

「哇,天啊,我們回歸正常了。你想問的是,『你講這種話,是不是滿足了卑鄙下流的小心眼?』才不。我的心眼是夠小了,只是還不夠笨。」普萊爾沉思片刻。「瑞佛斯的地圖製作規則另外有個錯。假如眞有妖怪,怎麼畫才好?」

「如果眞的有,我們很快就會碰到。」

普萊爾直視著瑞佛斯。「我好害怕喔。」

「我知道。」

這次治療漫長而累人,普萊爾終於走後,瑞佛斯關掉桌燈,坐向壁爐邊的扶手椅,縱容自己專心揉眼睛,不必被人觀察。是眞的「在某件事牽動你的神經的時候」,才有這種動作嗎?瑞佛斯心想,是有可能,沒錯。如果有模式可循,絕對會被普萊爾觀察到。反之,普萊爾也同樣有能力憑空亂講一通。

普萊爾屢次自稱想換位子,瑞佛斯並不後悔給他一次換位子的機會,因爲他藉此發掘普萊爾的一面,以其他方式可能永遠無法發掘。從「額外調教」得知的祕辛不多(不過,這一點確實耐人尋味,尤其是從普萊爾習慣調戲人的角度來看),反倒是普萊爾的假設更發人深省——普萊爾認爲,瑞佛斯喪失視覺記憶肯定與童年的心靈重創有關。這一點從側面揭露不少普萊爾的心事,普萊爾不自知。

儘管如此，普萊爾問話的技巧值得敬畏。**管他是什麼，事情發生以後，你把自己弄瞎，省得以後再看見……你弄瞎了心靈眼睛**。普萊爾只需比心理醫師蠻橫一些，就能逼瑞佛斯正視失憶的全貌。大家常假定他不自知失去什麼，其實不然。他確實知道，起碼也略知一二。有一次，在托勒斯（譯註：Torres，位於澳洲與新幾內亞之間）海峽，他出席一場由英國官員與土著頭目聯合審理的法庭，一位老婦人出庭作證她涉及的一場糾紛。口述期間，她的視線左右飄忽不定，顯然是一面描述，一面重溫當時的大小細節，而且清清楚楚看見不在法庭的人。瑞佛斯當時看著這位乾癟、半裸的老文盲，暗暗羨慕著她。他遇見過的歐洲人當中，視覺記憶同樣強烈的歐洲人不是沒有，但他的個人缺陷從未被強力凸顯至此。

長久以來，他明白自己喪失視覺記憶，但他遲遲無法將此事與布萊頓那棟房子扯上關聯。更遲鈍的是，他至今才體會到，那段童年經驗的衝擊不只造成視覺記憶喪失，更在情緒與理性分析思考之間劃出一道鴻溝。這種說法很容易言過其實：畢竟，他自幼接受的教育正是情緒與理性對立的訓練，但他認為，兩者的鴻溝在他的心裡比多數人更深，簡直像童年那段經驗觸發他試圖人格解離，所幸沒有成功。儘管如此，大半輩子以來，他始終是一個心有鴻溝的人。雖然他曾說，這道鴻溝對他的影響微乎其微，他卻漸漸相信，這道鴻溝取決了他研究的方向。

歷經那段被遺忘的孩提往事多年後，他與亨利．海德合作一項實驗，先切斷海德左前臂的一條神經，然後接合，接下來的五年間，兩人一同觀察神經再生的進展。神經再生以兩階段進行，第一階段的特徵是痛覺遲鈍，但痛感終於來時，套一個海德的用語，那種痛覺是痛得「極端」，換言之，不痛則已，一痛驚人。除了這種兩極化的特徵之外，痛覺很難判定位置。海德受測時，坐在桌前，眼睛被蒙住，無法判斷造成劇痛的位置何在。他們將這種原始的神經分布稱為原始痛覺。幾個月之後進入再生的第二階段，稱爲精細痛覺，特徵是能夠做出漸進式的反應，能確切定位痛覺的起源。隨著精細痛覺的神經分布層次復原，較低層次的原始痛覺也部分與精細痛覺融合，部分被壓抑，以便精細痛覺系統執行兩項功能：一、供給生命體明確資訊，以協助生命體適應環境；二、壓抑原始痛覺，以牽制內心深處的獸性。隨著時間演進，無可避免的是，原始痛覺與精細痛覺的涵義也愈來愈廣泛，因此「精細痛覺」漸漸代表理性、秩序、智力、客觀的一切，而「原始痛覺」代表情緒、感官、紊亂、原始的種種特性。在這一方面，實驗既能反映出瑞佛斯內在的鴻溝，更方便他以言語形容這道鴻溝。他幾乎能呼應怪醫亨利·傑基爾：基於道德，也基於自身經驗，我體認到人性裡徹底而原始的雙重性；在我意識的領域裡，有相互競爭的兩種本性，我發現，縱使旁人說我的本性是其中之一也對，只因我裡裡外外兩者皆是……

說也奇怪，「傑基爾與海德」一詞竟變成日常詞彙，令一般人即使從未讀過該小說，也能以這一詞來統稱內在的鴻溝。普萊爾曾說，他會看雙手是否毛茸茸，以確定自己是否變成了海德。有這種反應的人不只普萊爾一個。瑞佛斯診療過的病患之中，只要出現過漫遊症狀，遲早會將漫遊狀態稱為「海德」，而病患有此一說，通常是求醫師加以安撫。在醫院的環境下，醫師可觀察到漫遊狀態，因此很容易安撫病患，但安撫普萊爾並不太容易，原因之一是瑞佛斯無法觀察他的漫遊狀態，另一原因是普萊爾能感受到自己的黑暗面，而且感受異常強烈。他或許能大談自己感受不到性事的罪惡感，但瑞佛斯認為，他心懷虐待狂的衝動，深深自覺羞恥，甚至為這種衝動而恐懼。普萊爾相信自己的心靈地圖上有幾隻妖怪。誰能說他的判斷錯誤呢？

普萊爾的病例具有一項眞正惱人的特徵：他在漫遊狀態與人相約，居然能在正常狀態時赴約，這表示，漫遊甚至能影響常態的言行，換言之，漫遊狀態的作用與意識並行。瑞佛斯決心不讓他發展出雙重人格。瑞佛斯不想使用催眠術，不想以實驗為目的而製造解離狀態，不鼓勵普萊爾將漫遊狀態視為另一個自我。即使如此，瑞佛斯仍需謹記，普萊爾不只是一堆症狀的結合體，而是人格極其複雜的血肉之軀，對自身的症狀是有主見的。普萊爾已經啓動想像力，盡其所能，把漫遊狀態轉變為惡性替身。普萊爾相信妖怪的存在，無論瑞佛斯的對策是什麼，無論瑞佛斯縮手不做什麼，普萊爾仍堅信妖怪的存在，勢必進而賦予妖怪一股力量。

第十二章

「接下來，請你畫一隻大象給我。」海德說。

魯卡斯回答：「從沒堪見果（看見過）。好高。好大一頭。」他的語調含糊，聽來像是對著肥皂水吹泡泡。

魯卡斯拿起紙筆，開始作畫。瑞佛斯坐在海德旁邊，兩醫師靜觀魯卡斯畫圖，好讓他心無旁騖。實驗已進行半小時，魯卡斯累了，吐著舌頭，狀似學識字的幼童。與幼童不同的是，魯卡斯的舌頭縮不回去。

瑞佛斯注意到海德的視線。魯卡斯被剃光頭，頭上有一道被砲彈碎片刺穿的傷口，海德正看著頭上的傷。瑞佛斯知道他在動什麼腦筋。海德一定是在考慮如何在死人頭顱複製魯卡斯的腦傷。這天上午，海德處理過一具死屍的頭顱。以複製的方式來研究心理學，瑞佛斯認爲是個耐人尋味的手法。海德的做法是測量活病患頭傷的長寬深，依樣畫在死人頭顱上，然後循著線條鑽幾個小孔，間隔一致，接著將藍色染料滴進小洞裡，最後掀開整片頭蓋骨，進而解剖染色的腦部結構，加以辨識。透過這種方式，腦部受損的區域可與病患言語失常的本質相互對照。

這套研究方法原本就費事，更辛苦的是，複製傷口時，兩位病患必須共用一具大體。這場戰爭比較令人意外的後果之一是，適合做實驗的男屍出現短缺的現象。

瑞佛斯舉雙手撐著下巴，嗅到醫學院的那股人體脂肪混合甲醛（福馬林）的臭味，而石碳酸肥皂只能蓋過一部分。海德正在看魯卡斯的光頭，瑞佛斯則側面觀察海德的表情，赫然發現，今早海德彎腰看大體的頭顱時，神態幾乎與現在完全一致，把魯卡斯簡化成單純的一項技術問題。魯卡斯畫好了，抬頭望醫師，海德的表情才轉變，綻放出微笑，對魯卡斯喃喃鼓勵一番，魯卡斯繼續低頭作畫。海德再看光頭上的那道突起的紫疤，神情又變得疏離、內斂。他對病患有一份強烈的認同感，病患的心他能感同身受，但他現在暫時擱置這份人性。擱置有其必要性，因爲如果醫師拋不開這種羈絆，必然難以行醫。同理，軍人也需要擱置同樣的心，否則無法聽令殺敵。醫師與軍人的目標互異，但達成使命的心理機制基本上是同一種。海德的做法，瑞佛斯心想，就某些意義而言屬於一種良性的、精細痛覺的解離狀態，有異於普萊爾罹患的病態解離。海德的解離狀態是健康的，因爲研究者與醫師能立即互通彼此的經驗，兩者皆能取得海德各層面的人生經驗。普萊爾的解離是一種病態，因爲他的意識經驗範圍與回憶隔絕。耐人尋味的是，爲何海德的解離不會導致普萊爾體驗到的那種人格分裂。瑞佛斯改變坐姿，嘆氣。起初發現精神病奧祕無窮，最後發覺健全心靈更加深奧難解。

魯卡斯畫完了。海德靠過去，拿走他的作品。「嗯——，」海德看著這幅很像母牛的畫。停頓許久才說：「大象的前面長了什麼東西？」

魯卡斯再度以囁嚅的語調說話，聲音接近哀嚎。「他有一條很長的」——魯卡斯以健全的一手上下揮舞——「直直的大約一碼長。」

「名稱是什麼，你知道嗎？」

「跟那個。灌水用的。東西一樣。」

「大象是不是有長鼻？」

魯卡斯在輪椅上蠕動著，呵呵笑。「掉了。」

魯卡斯伸手想拿回圖畫，想修改，但海德趕緊收進檔案夾裡。「接下來是算數。」

魯卡斯迅速做完幾個簡單的算數。他對數字的理解力沒有受損，不出海德所料，答案正確。海德習慣在困難或無解的習題當中穿插簡單的問題。下一份習題的用意在於探討魯卡斯的左右觀念是否受損。他叫魯卡斯模仿自己手臂的動作，首先是照鏡子做，接著隔著桌子模仿。

瑞佛斯看著海德舉左手。海德的手「形狀與尺寸專業；……大、穩、白、秀麗」。瑞佛斯自認對這隻手熟得不能再熟，大概比他對自身任何一個器官的認識更深。再怎麼說，他對同一隻手做過長達五年的實驗，即使是現在，他看見這隻手，照樣能在皮膚上畫出原始痛覺分布不全的輪廓，因為再生的過程永無完結的一天。海德左手拇指與食指之間的三角地帶維持原始痛覺，不痛則已，一痛則痛至極端，而且持續對溫度變動異常敏感。有時候天氣變冷，他會注意到海德以右手遮住左手三角地帶避寒。

測試完畢之後，海德對魯卡斯宣布結果，閒聊一陣。海德有一份特殊的天賦，能讓病患加入研究自身症狀的行列。在海德簡述受損程度的當兒，魯卡斯容光煥發，只能以「充滿臨床興趣」一語來形容。最後，勤務員來了，將他推出辦公室時，他面帶微笑。

「他有……改善，」海德說。「稍微。」他撥開額頭上的幾縷髮絲，一時之間顯得落寞萬分。「要不要喝茶？」

「我不介意來一杯牛奶。」

「牛奶？」

瑞佛斯拍拍腹部。「讓潰瘍安分一點。」

「怎麼著？潰瘍在抗議嗎？」

「天啊，我多麼討厭心理學家。」

海德笑笑。「我去幫你倒牛奶。」

等候期間，瑞佛斯翻閱著《泰晤士報》，讀到潘波頓．畢陵受審的新聞。審判已進入審理醫學證據的階段——勉強算是醫學證據。海德重回辦公室，瑞佛斯朗讀著：「被問及如何對付這種人的時候，『塞洛．庫克醫師回答：「他們是妖魔，應該全關起來。」』此語出自精神病學。」

海德遞給他一杯牛奶。「報紙別看了，瑞佛斯。」

瑞佛斯摺好報紙。「我一直儘量告訴自己，笑笑就好。」

「唉，是啊，可笑的東西多著呢。最好笑的是，那女人告訴法官說，法官的姓名也出現在黑皮書裡。」他等著回應。「言歸正傳。你什麼時候想見魯卡斯？明天嗎？」

「可憐的小傻蛋累了，讓他休息幾天吧。星期一如何？」

兩人討論魯卡斯的症狀片刻，然後漫無邊際聊著，談到醫院徵用和平主義分子當勤務員一事。這間醫院原本的規畫並未將殘障病患列入考量，如今卻收容了大批肢體癱瘓的病患，而電梯只有兩座，護士與現有的勤務員——不是殘障人士，就是超齡不適役——盡全力協助病患，但癱瘓病人的生活範圍依然大大受限。目前迫切需要的是年輕壯漢，吸收和平主義分子來擔任勤務員正好能解決問題，內政部有此規畫。但主和派人士進醫院上班，也會引發現有工作人員的敵意，情況惡化到院方考量是否續用和平主義分子。人力已經捉襟見肘了，裁撤人手的做法缺乏理性，令瑞佛斯氣得吹鬍子瞪眼睛，曾在上次醫院管理委員會直言反對，或許砲火過於猛烈了一點。至少海德似乎認爲是太猛了。「我不不會把話呑呑呑回去，」瑞佛斯說。「大半輩子以來，我一直直用委婉的說法，現在不想再委婉下去了。」

海德望著他。「大家熟識又愛戴的那位溫呑穩重的小河瑞佛斯，流到哪裡去了？」

「在蘇格蘭失蹤了，從此不見蹤影。」

「對。」

「對什麼對？」

「對，我正有這種印象。」

電梯門即將關閉。瑞佛斯拔腿衝刺，勤務員萬帝吉硬把鐵門扳開。他不屬於主和派。「請進吧，大夫，」他說著向後退。「容得下瘦子一名。」

萬帝吉正要推一位病患回房。瑞佛斯擠進輪椅旁邊，按頂樓的按鈕。

萬帝吉是全院最受歡迎的勤務員，部分原因是他一腳穿著矯正靴，不言自明他不上法國戰場的理由。他心寬體胖，懷有滿腔的仇恨。他痛恨無故曠職者，他痛恨逃兵，他痛恨良心逃兵，他痛恨匈奴（譯註：「德軍」的綽號）人，他痛恨德皇。他熱愛戰爭。全院的手以他這雙最溫柔。他願犧牲一切上戰場。每次瑞佛斯看見他跛腳推著輪椅，立刻想起彩衣吹笛人故事裡那位跛腳男孩，其他小孩上山了，獨留他一人在村裡。

電梯在三樓停下，一名年輕護士進來。姓威格士坐輪椅的病患與她交談，他微微紅著臉——看樣子威格士對她大為傾心。接著，他癱向輪椅的一邊，視線與護士的腰同高，偷偷瞄著她的胸部。萬帝吉嘰呱聊著天。四樓到了，電梯再次停住，萬帝吉推著輪椅離去。

瑞佛斯但願剛才沒看見那副色相。每天在這所醫院裡，所見的事物不斷殘暴地提醒人，戰爭最慘痛的悲劇其實不以白十字架做記號。

基於安全考量，瑞佛斯的兩間病房都位於頂樓，因爲他的病患行動無礙，必要時可走消防梯。這間醫院原本是兒童醫院，頂樓是育兒區，牆壁裝飾著咩咩黑羊、牧羊女小波碧、小紅帽、蛋頭先生。窗外有鐵柵。瑞佛斯剛來醫院報到時，曾要求拆除鐵窗，但戰爭部不肯撥款進行不必要的改裝，只肯加設成人浴缸與洗手間。不包括洗手臺在內。勞倫斯正在浴室裡刮鬍子，洗手臺的高度幾乎不到他的膝蓋。視覺礙於這種反常的對比，把他視爲巨人，再多的互動經驗也似乎無法糾正這種第一印象。

瑞佛斯從修女那裡領回夜班鑰匙，進入走廊，走向自己的辦公室。這間辦公室很寬敞，有一扇大凸窗，可俯瞰文森廣場。他走進隔壁房間，請祕書叫曼寧上尉進來。

曼寧自法國戰場回國後，多次焦慮症發作，最近病情轉劇，部分原因是他對潘波頓．畢陵案太過於執著。瑞佛斯本可勸他說，那場審判盡是扒糞扯爛污的東西，不必理會，但勸了也沒用。曼寧曾收到一封匿名信，裡面附上一張關於茉德．艾倫與「陰蒂崇拜會」的剪報，最近更收到一份關於「四萬七千人」的文章。據推測，鎖定曼寧的人得知他是同性戀者，曼寧豈可坐視不理？

「你沒久等吧？」瑞佛斯問。

「兩三分鐘而已。」

曼寧面露疲態。想必他昨天畏懼住院，整晚睡不好。「房間還習慣吧？」

「還好。沒想到我能自己住一間。」

「那篇文章帶來了嗎？」瑞佛斯問。

曼寧交給他。瑞佛斯本以爲又是剪報一則，但這一篇特別印製在厚紙卡上，最上面打字註明：希望本文能喚醒你的良知。

「這篇文章剛發表的時候，」曼寧問，「你讀過嗎？」

「沒讀過。」瑞佛斯淡淡微笑著。「刻意延遲。」

據我所知的首批四萬七千人

城牆上的娼妓

英國遲遲無法傾全力參戰的原因眾多，本人已藉「帝國主義者」的專欄數度闡述，德國運用巧妙的手法，成功削滅本國之心力。叛國之舉無法以藉著戰爭發橫財一言蔽之。城牆上的娼妓，各國皆有，但這些娼妓在第一次掃蕩時已曝光，本國也已採取必要的措施。真正的危機潛伏在堡壘裡面。由於貪污與勒索屬於賤僕之流的舉動，施行起來比賄賂省錢。此外，有些人無法以金錢收買，卻因擔心曝光而束手就擒，甘願受人奴役。由此觀之，以本人之見，更有理由推斷，以效率見長的德軍正善用此種效果最顯著、成本最低的手段。

本人曾透過專欄，屢次暗示本人握有一些能支持此觀點的情報。過去幾日以來，最特別的幾項事實呈現在本人眼前，足以佐證本人先前得知的資訊。

散布淫風

某位德國王侯的暗室裡存在一本書，由特務工作局整合，集結德國特工的報告。德籍特工已在本國肆虐二十年，行為惡毒，散布酒色荒淫之風氣，其風之淫，唯有德國心得以構思，唯有德國身得以力行。

索多瑪與蛾摩拉博斯

某位軍官因執行特勤，發現此書，遂為我簡述其駭人聽聞的之內容。該書的開頭是一篇大綱，概述推廣邪行之大方向。正直人士全以為，這些邪行全在索多瑪與蕾絲博斯（希臘島嶼名）兩地消失了。撰寫報告者甚至褻瀆上帝，提及《聖經》中的樹林與高地（Groves and High Places）。最陰險的段落闡述德國特工執行醜惡伎倆之手法。隨後的一千多頁羅列德國特工報告記載的人名，有男有女，總計四萬七千人，均屬英國籍。

三教九流皆有，有些是國策顧問、還有少年合唱團員、內閣大臣之妻、舞孃，甚至幾位內閣大臣也名列其中，更不乏外交官、詩人、銀行家、編輯、報社負責人、皇室工作人員，不一而足。

德國特工也列舉道德淪喪之酒館與酒吧名稱，任務之周詳由此可見一斑。這類公共場所遭滲透成功後，只需派一名特工進駐，即可轉為散布邪心之管道。部分人士礙於身分地位，不便進出聲色場所，特工為擊破這些人，特別購置舒適的公寓，裝潢以挑撥慾火為主，並發放淫亂照片，印製知名作家隱名發表之曖昧作品。

海軍危機

在這套無懈可擊的攻勢之下，社會各階層無人能免於污染。海軍士兵被特意吸收成為特工，尤以輪機室之官兵為主，接受特別指示。特工在樸茲茅斯與查坦（cha tham，位於英國東南）成立亂倫酒吧，作為聚會場所，殘害英軍水兵之耐力。更險惡的是，德國特工能以姦情為掩護，獲取艦隊調度之軍機。

即使是街頭流浪漢也無法免疫。德皇派遣之巧言令色特工駐守大理石拱門與海德公園角等地，針對參加夏夜音樂會之兒童辣手摧花，黑皮書中皆有詳載。

政治層峰

儘管上述種種事跡污穢，該報告凸顯之一大危機在於，部分特工已透過管道深入政治高層。高官之妻與人糾纏不清。在女同性戀之歡愉中，最神聖之國家機密遭洩露。貴族成員之性癖好淪為敵人把柄，為諜報界開闢沃土。

該書之檢索表收錄感染者之慣用語。德國巧妙散布此種令人作嘔之病症，毒殘性靈，害人無數。

命危旦夕

這位德國特工提出正式報告，並非坐而言的大言不慚之輩。敵軍掌握四萬七千名英國男女之底細，將其束縛於恐懼之中，令吾人高聲呼籲，號召所有心靈純淨之士殊死對抗之。在法國戰場上，三百萬弟兄之生命危在旦夕，怎可因四萬七千同胞缺乏道德勇氣而浪擲忠魂？帝國之命運掌握在此等男女之流的手中。依本人淺見，德軍以此精心栽培之手法循序漸進，終將滅絕大英種族，防止我軍收復失土。

羅馬淪亡

當本人深究此項萬全奸計之同時，本人恍然大悟，德軍公開施放之砲彈、毒氣、瘟疫對英人之殘害，遠不及早已遭毀滅之首批四萬七千人。

如本人先前藉專欄披露，大英帝國恐將與偉大的羅馬帝國同樣淪亡，令人不忍想像。當時的勝利者與今日的勝利者同為匈奴。

此書之內容令吾人大開眼界，此事不宜坐視。

瑞佛斯丟開這篇文章。「假如眞的像這篇文章寫的：其風之淫，唯有德國心得以構思，唯有德國身得以力行，這四萬七千人是英國人，怎麼辦得到？」他摘下眼鏡，以手抹眼。「抱歉，我的口氣太像老學究了。」他望著曼寧，留意到曼寧眼睛周圍有精神壓力導致的皺紋，見到曼寧舉菸就口時的狂顫。以曼寧這種人來說，積極過著雙面人生活，如今赫然發現，自己的兩面全被不知名人士看穿，那種滋味必定如同內心深處的碉堡門遭撞破。「別人也收到過嗎？」

「羅斯。另外還有一兩人。」

「羅斯的朋友？」

「對。」

「認識羅斯的人……會冒相當大的危險。」

「我又能怎麼辦，瑞佛斯？我又不是最近才認識他。」

瑞佛斯嘆氣。「我不認為你能怎麼辦。」

曼寧坐著沉思。「我在想，假如我能理解這件事的話，或許對我有幫助。我是說，我看得出這場戰爭打得相當慘烈，免不了有人想揪出代罪羔羊，不想聽道理，可是……為什麼寄這個？有德文姓氏的人挨揍……或被活埋，我不難理解原因。逃兵也是。我不贊同逃兵，但我能理解逃兵的想法。我卻不瞭解現在這種狀況。」

「我也不確定我能理解。我認為，戰爭期間，有某些衝動會浮上人性表面，逼得大家必須正式否認有這些衝動才行，所以導致這種狀況。同性戀屬於這一類的衝動。打仗時，國家會大聲推崇同袍情誼，卻也難免引發焦慮，擔心這一種情誼是對還是錯？想確定這種情誼正確無誤，方式有一個，就是公開譴責另一種情誼，和另一種情誼撇清關係。另外一種衝動是殺人的快感——」

曼寧滿臉驚訝。「我不知道這——」

「你錯了，我指的是老百姓。寄託心，不過也夠真實了。平常會被壓抑的虐待狂衝動，開戰之後被撩起，這種過程也會造成焦慮。所以，在這種環境，將一個眾所周知的同性戀者寫的劇本搬上舞台，而且內容是女人親吻身首異處的男子頭顱……」

「我跟太太珍提起審判的事。我說，我認為真正的目標是羅斯和另外一兩人，結果她說，我當然有這種想法。她是這樣說的：『面對這種問題時，能看淡個人性別，唯有心智高度靈活的人辦得到。』」

「我期待有朝一日能認識曼寧夫人。」

「她說，現代婦女挺身盡一點心力，這種角色引發發發……種種情懷，其實遮掩住一種深層的恐懼，唯恐女人越來越不聽話。她認為，凌遲茉德．艾倫，其實是給女人一個警惕。不只是同性戀的女人。是所有婦女。正如同王爾德把莎樂美刻畫成堅強的女性，而她最後非死不可。我的意思是，最後所有人一擁而上，殺了她，滿怵目驚心的。」

「你覺得這樣的結尾如何？」

「我覺得有點天眞。我認爲，這種結局忽略了王爾德對莎樂美的認同。王爾德的本意不是說女強人非死不可。他的意思是，像我這樣的人非死不可。他太有道理了。至今仍有道理。」

說得頭頭是道，沒錯，瑞佛斯心想，但曼寧病了，討論文學半天也無法痊癒。

「你認爲史賓塞精神異常嗎？」曼寧陡然問。

「從他提供的證據來判斷，是的。至於他會不會被判定精神異常……」

「跟薩松形成強烈的對比，不是嗎？」

瑞佛斯一臉訝異。

「史賓塞被捧成這樣。薩松針對戰爭講了一句完全合理的話，就被趕進精神病院。」

瑞佛斯心想，羅斯的交遊圈裡，當然人人都知道薩松因反戰而住院的事跡，也知道瑞佛斯勸薩松回戰場的經過。

曼寧說：「我不應該提起他，對吧？」

「爲什麼不能？」

「因爲他是你的病人。」

「他是我們兩個都認識的人。」

「我提起他，只是因爲最近常想到他。我在想，他們有沒有膽，把這東西寄給薩松。或是寄給上戰場的任何一個人。」

「我認爲，以寄這種信的人的思想而言，絕不可能認爲『四萬七千人』裡的任何一個會出現在法國戰場上。」

目前爲止，曼寧一直覺得難以談論戰爭的事。曼寧自己會矢口否認避談戰爭。他會說，他其實談得很多，談到戰略、策略、戰爭目標、平民文人的反應出奇平淡、薩松與葛雷夫斯的詩。倏然間，瑞佛斯想出一個辦法，希望以非常輕柔的方式開始強迫曼寧正視戰爭。「佛洛依德對戰時神經官能症有一套嚴謹的觀點，你熟不熟？」他問。他知道，曼寧涉獵過不少佛洛依德學說。

「他有這方面的觀點？我沒聽說過。」

「有。基本上，這套學說相信，在清一色男性的環境裡，在情緒激盪下，結合作戰的經驗，這些條件能挑起同性戀和虐待狂的衝動。而這兩種衝動平時會被壓抑。有些男人的慾望特別強烈，壓抑慾望會導致精神崩潰。」

「你呢？你相信嗎？」

瑞佛斯搖頭。「我想瞭解你的想法。」

「別人精神崩潰的因素是什麼，我不清楚。我認爲，我精神崩潰和性事的關聯不大。」微微一笑。「不過，話說回來，我又不是壓抑慾望的同性戀者。」

瑞佛斯也對他微笑。「話雖這麼說，你一定有一種……一種本能反應，直覺認爲，崩潰是有可能的，或者是無稽之談，或者是——」

「我想到一件事。你讀過薩松的詩〈吻〉嗎？」

「提到刺刀的那一首？讀過。」

「我認爲是他最擲地有聲的一首。你知道嗎，我跟他沒有在同一個單位服役過，不過我常和羅伯特．葛雷夫斯交談，他說，薩松在前線的時候，有截然不同的兩面，差別之大令人瞠目結舌。你知道他是排長，帶兵很成功，而且嗜血的名聲遠播，可是呢，打完仗，一回營地，他拿出筆記本，又譜出一首反戰詩，詩裡引用排長的經驗，卻從來不引用他個人的態度。但是，在〈吻〉這一首，他總算把自己的兩面全寫進去了。」

對，瑞佛斯心想。「對，」他說，「我看得出來。」

「另外呢，當然，裡面充滿性暗示。不過我認爲，太容易把性暗示當成一種個人的……我不清楚是個人的什麼。事實是，陸軍對刺刀的態度曖昧得不得了。訓練手冊一翻開，裡面寫滿了肉搏戰的重要性。肉搏戰也無可厚非，只不過，那樣寫，給人的印象是，裡面隱含一種價值觀，而這種價值觀無關刺刀有沒有達成目的。刺刀是正當的戰爭。是男人的戰爭。跟機關槍和砲彈碎片沒關係。這種印象反映在訓練手冊裡。翻開來看，等於是一長串的性暗示：『直戳他卵丸』、『殺光德國鬼子』。假如薩松的措辭像這樣，作品絕對不可能出版。」曼寧陡然停下。「我好像離題了。不對，我沒離題，我只是想……我只是想坦白，儘量思考我比較痛恨刺刀訓練的原因是不是……是不是因爲代表人體的布袋象徵著……我……唉，瑞佛斯，幫我一下嘛。講一個中聽的心理名詞。」

「愛。」

「答案是什麼，我不清楚。我自認不清楚。我們大家都討厭刺刀。因爲我們不討論這事，所以我不清楚自己是不是比較討厭刺刀。只覺得，刺刀討厭歸討厭，舉槍就刺，不就行了？我是說，用刺刀時，隔絕掉心靈的一大部分就好。」

「你以這種方式應付嗎？」

「大概吧。」一時之間，他看似即將繼續，但他搖搖頭。

當瑞佛斯確定他無話可說時，瑞佛斯說：「你知道吧，戰場上的事情，我們非談不可，查爾斯。」

「我常談啊。」

沉默。

「事情好好擺著，幹嘛去瞎攪和呢？我搞不懂。我知道你根據的是什麼理論。」他低頭看自己的手。「我兒子羅柏小時候……他本來喜歡洗盆浴，有一天，他突然不喜歡了。每次保母抱他進浴缸，他變得全身僵硬，哭得呼天搶地的。後來才知道，他看到洗澡水從排水口流掉，以爲自己也會跟著流進水溝。大家都叫他別傻了。」曼寧微笑。「我倒覺得，他的恐懼是合理得名正言順的恐懼。」

瑞佛斯微笑說：「我不會讓你從排水口流掉。」

晚餐期間，話題環繞著潘波頓．畢陵的審判。由於法庭首度在這一類型的案子裡採用心理專家提供的醫學證據，頗受關注，但大家一聽所謂專家的說法，大感失望。「結果搞出什麼名堂？」有人問。「塞洛．庫克鬼扯一大堆怪獸、遺傳退化之類的東西。那傢伙根本是個笑話。」

瑞佛斯暗罵，如果他是笑話，那我的幽默感已經沒了。

飯後，他慶幸能逃離醫院，去廣場散步。倫敦已經成爲一個令人情緒低落的地方。每一張海報、每一個報童的呼喊、每一條標題，無不關注著這場審判。如今登上證人席的是道格拉斯侯爵，他認爲英軍在戰場上表現不佳，應該歸罪於王爾德的劇本搬上舞台。法國戰場上的死傷再慘重，現在已乏人深思，焦點全轉向中央法院裡的非理性偏見，民眾看得熱血澎湃。曼寧說的沒錯，民眾要的不是道理，而是代罪羔羊。同樣的情況在醫院裡也看得見，法國傳回的戰報一天比一天糟，反戰派的勤務員承受的敵意也逐日加劇，但這其中不乏邏輯因素。男人被鞭策聽話，被驅策回前線。除非，他的確罹患珍．曼寧診斷出的症狀——凡事看淡個人的性別。不是這樣。他認爲曼寧說得對。茉德．艾倫成爲標靶，幾乎是一場意外。眞正的目標是無法或不願順從的男人。

瑞佛斯的心思轉向薩松。曼寧的經驗明白顯示，羅斯的交遊圈裡人人都有危險，都可能受到羅斯遭受的待遇。雪上加霜的是，羅斯反戰，但他也不贊同薩松的抗議宣言，理由是宣言不僅會毀滅薩松，更不會影響當前時勢，而瑞佛斯認爲相當有道理。根據曼寧，羅斯個人的反戰方式是拿著殘屍照給老百姓看，嚇得他們改變立場。瑞佛斯高興的是，現在薩松遠離羅斯，也遠遠避開潘波頓‧畢陵審判案。

在奎葛洛卡時，有一次瑞佛斯想警告薩松。最早在去年十一月，他曾告訴薩松黑皮書一事，提及書中揭露四萬七千人過著雙面人的生活，恐遭德軍恫嚇。

——「放輕鬆，瑞佛斯。我又不是名人。」

——「對，不過，你是勞伯‧羅斯的朋友，而且公開倡導和平協議。這兩項就夠了！西弗里，你現在的立場脆弱，沒必要硬裝堅強。」

——「你要我怎麼辦？乖乖服從，修正個人的意見……不過，你眞正想說的是，如果我在某個生活領域無法從衆，那麼，我一定要在其他領域順從多數人。不只是做做表面工夫，而是一切。甚至不惜違背個人良知。哼，那種日子，我過不下去。沒有人應該過那種生活。」

能與曼寧談及西弗里，令瑞佛斯神清氣爽。瑞佛斯偶爾能見到羅伯特‧葛雷夫斯，除了他之外，曼寧是兩人僅有的交集。

廣場杳無人蹤。每逢滿月，入夜之後，民眾趕緊回地窖避難。瑞佛斯走著，腳步聲迴盪在空曠的人行道上，似乎伴隨他前進。最後一片殘雲飄走後，月光通明，將他的影子映在身前，輪廓幾乎與白天同樣鮮明。

今晚好平靜，萬里無雲。他心想，今夜一定有空襲。在奎葛洛卡，他從來不必擔心碰到空襲。在奎葛洛卡，即使是茶匙輕敲杯碟，病患也會嚇得魂飛魄散，炸彈落地還得了？他轉身，加快腳步，直奔閉窗熄燈的醫院大樓。

第十三章

沉睡的醫院裡，海德獨醒，戴著口罩，身穿手術袍，頭頂亮著一盞燈，站在解剖檯旁邊，檯上躺著一具男屍，臉朝上，赤裸，散發甲醛的臭味，生殖器官縮水，皮膚呈陳年紙張的髒金色。海德在光頭上畫完一個輪廓，說：「好了。」接著伸出戴著手套的手拿鑽子。然而，有個現象不太對勁。鑽子呼呼鑿孔的同時，金皮男動了一動。瑞佛斯想說：「別鑿了，他還活著，」但海德不是聽不見，就是不肯聽他的。骨頭吱嘎一聲，嘴巴大張，一隻手伸向海德，握住他的手腕。赤裸的男屍被解剖一半，驚恐中從解剖檯坐起來，猛推海德一把。

瑞佛斯房間外的走廊空曠而漫長，地板擦得雪亮生光，走廊盡頭的門嘩然打開，聲音近似振翅，男屍從門內蹦出來，見門就拍，不停嗅著，不靠視覺而靠嗅覺辨識方位。最後，男屍找對了門，走向瑞佛斯的床鋪，對著他彎腰，對著他的臉伸出一張人臉解剖圖，這時瑞佛斯掙扎起身，想起自己身在何方。

天啊。瑞佛斯躺回床上，感覺汗水布滿胸口與下體。他睡在病床上，床太高太窄，床墊以橡皮布覆蓋，一移動身體就吱嘎響。他看得見那張破碎的臉向他彎腰。在半睡半醒的此刻，在極短暫的時間，他辦得到常人認爲理所當然的事：看見不在眼前的事物。

在這一刻消失之前，他趕緊解析夢境的成分。夢中解剖室的所在並非解剖學院，不是他在當天上午觀察海德工作的地方，而是他受訓的聖巴多羅買醫院的解剖博物館。這所醫院俗稱巴茲。

這場夢留下的整體情緒印象是……他躺著，閉眼沉浸在黑暗裡，過濾著種種印象。污染。海德是個溫柔得不能再溫柔的人，怎會拿鑿子對著清醒的人鑽孔呢？把他想像成這種人，是一種背叛。白天觀察到海德以魯卡斯做實驗，半夜產生這場夢，兩者的關聯明顯。瑞佛斯旁觀到海德看著魯卡斯的神情，當時心想，醫師救人，必須暫停移情之心，這種做法發生在其他狀況時，卻是萬惡之根源。不僅僅是軍人，連折磨者也一樣，全都把將心比心的作用暫時收起來。

這場夢的重點在於解離。如同他近日多數的夢，這場夢也與工作有關。他最近似乎不再做春夢了，只不過在戰前，性衝突經常是夢境的主題。刻薄一點的人或許會說，瑞佛斯疲勞過度了。瑞佛斯認爲，問題可能比較複雜，也比較耐人尋味，但他無暇深思自省。現在絕對沒這種閒工夫。他坐起身，掀一掀睡衣的下襬，搧掉汗氣，然後再躺下去，儘量進入睡眠狀態。在醫院過夜，他從來不得好眠，原因之一是病床不舒服，另一原因是他預料睡到一半會被吵醒，因此不敢熟睡。

他正開始沉沉入睡之際，哨聲來了。

等到勤務員敲他的門時，他已經下床，綁好晨衣，跟隨勤務員從走廊走進大病房。沃特斯修女在等他。她是喬迪人，膚色蠟黃，身材苗條，長鼻，具有階級仇恨心，令瑞佛斯聯想起普萊爾。奇怪的是，沃特斯修女的階級仇恨完全是衝著女性而來。她討厭女志工。多數女志工出身上流家庭，來醫院幫忙是「盡一點心力」——但認真的程度不一，這一點不得不附帶一提。沃特斯修女喜歡軍官病人，暱稱他們是「我的男孩」，反倒是社會背景與她相近的女志工，她對她們恨意沖沖。去年十二月，有天夜裡槍聲砰砰大作，沃克斯廳橋遭正面轟擊，連帶震撼到醫院的地面，當時瑞佛斯與她對飲可可，擺脫階級障礙，至少足以引她怨聲說：「聽她們講話，我就想吐。說什麼：『哎喲！快看我，我在撣灰塵呢！』『我在掃地呢！』你知道嗎，我受訓的時候，一年才領八英鎊。而且每週工時七十小時喔，休息時間扣薪。」

現在，可可泡好了，放在托盤上，由修女端來。瑞佛斯在大病房逐床巡視。多數病患還算鎮靜，但輕重不一的抽搐比平常嚴重。在單人病房裡，病患的病情較重，危難的情景令人傷心。這些人若在肯特郡，碰到轟炸時，茶杯跟著震動，他們照樣有說有笑，如今卻徒具男人空殼。威斯敦尿床了。他站在病房中間啜泣，護士跪在他面前，哄他從脫至腳踝的濕褲子裡走出來。瑞佛斯接手，幫他換穿乾淨的睡衣褲，哄他上床繼續睡，待到他情緒穩定，然後才請勤務員接手，自己去找沃特斯修女。

修女遞給他一杯可可。「曼寧上尉在抽菸。不知道你能不能去——」

「瞭解，當然。」

在奎葛洛卡，走廊經常菸臭繚繞，醫院工作人員努力漠視。在這裡，有兩間病房住滿了癱瘓病人，禁菸令非執行不可。瑞佛斯拍一拍門，走進去。

曼寧坐在床上。「哈囉。」他的語氣含有訝異。

「我恐怕要請你熄菸。兩座電梯，二十臺輪椅。」

「是的，沒問題。」曼寧把香菸捻熄。「怪我太笨。你上夜班，我怎麼不知道？」

「只有在月圓時。」

「滿月和精神病的關聯，不是已經被推翻了嗎？」

瑞佛斯微笑。「你明知我的意思是什麼。」

「沃特斯修女說，沃克斯廳橋被轟炸兩次了。是眞的嗎？」

「對。不過，橋被轟炸了，我們不必擔心。只有在投彈失準頭的時候才應該害怕。」

「讓我想起去年耶誕。你記得那次空襲嗎？那天我借住羅斯家，薩松也在，是我第一次遇到空襲警報，結果我鬧笑話了。我本來想強裝冷靜，想扮演沙場老將的角色，想安撫緊張的民眾，結果自己被嚇慘了。羅斯的管家都比我鎮定。薩松也一樣。我記得他說：『爲了我應不應該歸建的事，爭了那麼久，照這樣子看，我即使歸建，也沒啥用處。』」

這時傳來一陣參差不齊的歌聲。「你聽。」曼寧說著開始加入大合唱，歌聲幾乎含在嘴裡。

昨夜挨轟，
前晚也被炸，
今晚又會挨轟，
如果今後不想再被炸。
炸得你我魂飛魄散……

「這是我頭一次在法國以外的地方聽到這首歌。」停頓一下。「你知道嗎，我一直在思考你的那句話……你叫我儘量回想，儘量說出來。」

瑞佛斯雙手托著下巴說「繼續。」同時憶起普萊爾促狹模仿得維妙維肖的模樣。該詛咒的普萊爾。

「我不是發作過幾次嗎？發作的前奏通常有點像半醒時做夢。其實沒什麼，不是很嚇人啦，只是一隊士兵行軍，走在狹道板上，戴著防毒面具，披著斗篷，整個場景是青黃色，像透過遮陽板看東西的樣子。看見平常那種……亂象。」他乾嚥一口。「如果有弟兄踩滑了，從狹道板掉下去，不一定救得上來，有時候整個人會一直往下沉，因爲背包很重，而且泥巴有十五呎深，不像普通的泥巴，比較接近泥沼，有……有吸力。行軍走狹道板時，士兵照規定應該握住前兵的背包。」

「你是說，這個……夢誘發病情發作？」

「我不知道。大概是。」

「被夢境的那一點誘發？」

曼寧作勢回答，旋即搖搖頭。

「如果我叫你指出最可怕的一點，你認爲會是什麼？」

「有一隻手從泥巴伸出來，抓著狹道板，就……只有這樣。其他部分全被泥巴淹沒。」

短暫沉默。

「對了，還有一陣講話聲。」曼寧伸手取菸，卻想起禁菸令。「不是現場的人在說話，而是……聽得見就是了。」

瑞佛斯等著。「內容是什麼？」

「『司高德去哪裡了？』」曼寧微笑。「語氣兇巴巴的，像他知道什麼內幕似的。『司高德哪裡去了？司高德哪裡去了？』」

「你有沒有回答？」

曼寧搖頭。「沒必要。那人知道答案。」

兩人無語，只聽見逐漸減弱的歌聲，接著是遠方傳來的陣陣槍響。

瑞佛斯說：「這樣吧，進我房間的話，你可以抽菸。」

曼寧面露詫異。「現在去？」

「有什麼不可以？除非你自認睡得著？」

曼寧不回答。沒必要。

「給你。」瑞佛斯說著把菸灰缸擺在曼寧的手肘邊。檯燈照亮辦公桌，自成一片天地。

「你不抽菸，對吧？」曼寧邊點菸邊說。

「偶爾來一根雪茄。」

曼寧閉眼深深抽一口。「我不談戰場的原因之一是，」他微笑說，「排除個性儒弱的因素之外，我總覺得，談了也無濟於事。」

「因爲外人不可能理解？」

「對。即使是相對而言的小事。進入戰場突出陣地時的那種感覺，尤其是以前去過，而且知道即將面對什麼。等於是跟一切道再見。只能一次抬起一腳往前走，一步接一步，然後再一步。」

瑞佛斯等著。

「這種事……難以體會，」曼寧終於又說。「我不是說，因爲你沒去過，所以你不能體會。我的意思是，我自己去過，自己卻也無法體會。我的腦筋就是無法瞭解。」

「你不是提到司高德嗎？你想告訴我什麼事？」

「有嗎？」

兩人四目相接。

曼寧微笑。「對，好像有。他是我連上的一個兵。你應該曉得，一般人的觀念是，只要有兩手兩腳，而且精神方面沒有缺憾，人人都能當兵。哼，司高德能證明這種觀念是錯誤的。他根本是無藥可醫。他自己也知道。我們準備進攻的前一晚，他喝醉了。其實很多弟兄都醉了，不過他是醉到……醉到腿軟。校閱的時候，他不見人影，所以被軍法審判。在審判的前一晚，我去看他。他被關在穀倉裡，我陪他坐在一捆乾草上聊天，才知道他去年因爲彈震症而接受治療。電療。在那之前，我不知道有電療這回事。」

「怎麼沒有？」瑞佛斯說。「當然有。」

「他在麥西尼斯碰到地雷。聽他說，他以前常夢到地雷和血，常有猛抽頭的動作，會發出傻呼呼的聲音。沒錯，是醫生說的，『傻呼呼的聲音』。總之，電療有效，是有一點作用啦。他被治療後的那天晚上，沒有夢到地雷，而是夢到他回到戰壕裡，接受電療。我大概陪他聊了兩三個鐘頭吧。」曼寧的笑容虛弱。「他是個長相非常不幸的小孩。我之所以強調，是擔心萬一某個佛洛依德教條派躲在你桌下。」

瑞佛斯假裝彎腰看。「沒有。這桌的主人也不是。」

曼寧呵呵笑。「問題是，他的頭腦極爲靈光。我不曉得是他瞧不起人，還是……不管是什麼因素，我本來一直以爲他不是瞧不起人。其實，我現在一想，不認爲他瞧不起人，只是他實在太差勁了，樣樣都不行，叫人很難相信搞出這麼多……狀況的人，居然有個高智能的腦袋。但他的頭腦確實很好。」曼寧的表情一時變得疏遠。「那次聊過天之後，我開始比較注意他。我以為——」

「他被判什麼？」

「軍法嗎？每天罰操課兩小時。大家都在休息——赫！——他忙著打掃污水道之類的東西。我常去找他，跟他聊聊。我認為，處罰他對他沒好處，因為會剝奪他和其他弟兄相處的機會。追根究柢，讓軍人撐下去的動力其實是弟兄。」

「你剛說到你以為……？」

「我以為他手腳笨拙。跟他聊過天之後，我觀察他，看他上刺刀課，跑步向前，衝刺……**沒刺中**。布袋那麼大一個，他居然沒刺中。我突然理解，他的手腳不笨拙，而是他沒辦法關掉頭腦的一部分……關不掉在意的心。我敢說，他的刺刀如果刺中布袋，他會見到血。而這跟刺刀訓練的用意正好相反。告訴你，我見過一個兵……肉搏戰的時候，他照手冊寫的，一個指令一個動作，邊喊邊刺。**衝刺**，一、二。**扭刀**，一、二。**抽刀**，一、二……根本是按數字殺敵。正合軍方的意思。如果士兵受到良好的訓練，一上戰場，幾乎能像機械人一樣動作。可惜司高德恰好相反。不知為什麼，整個訓練在他身上得到反效果。我現在認為，他可能是精神崩潰了，因為我現在能感同身受。以紅色為例，不管是出現在什麼東西上，即使是紅花或紅書，一概是血。」

瑞佛斯變得全身不動。等著。

「上戰場的時候，即使人血淹到我的手肘，我也不怕。感覺幾乎像，不是正常知覺痲痺，而是身心完全沒有隔閡了，所有部分融合在一起。這樣講，不知道你能不能理解。」

「完全能理解。」

停頓一陣。「後來，我們繼續往前攻。下著雨。提到雨做什麼呢？多此一舉嘛。天天都下雨。天上破了一個洞。那天，上級叫我們向墳場報到。」曼寧笑了，是眞心的開懷大笑。「我當時想，天啊，上級培養出幽默感了。不過，上級沒有開玩笑。當晚確實是借住墓穴。那天的情況很特別。所有的墳墓全被炸壞，一眼就可以看進墓穴裡面，而且同一區的屍體遍地躺著，收集、埋葬的任務忙不完，放眼隨便看，都能看見全屍或是殘屍。有些比較年輕的士兵，包括司高德在內，對墓穴很感興趣。我去巡視時，看見他們趴在地上，從洞口往裡面一直看，因爲墓穴被雨水灌滿了，棺材漂浮在裡面，幾乎像是趴在地上的士兵才是死人，路邊的屍體不是，走來走去的人比屍體更沒活力。

「那天晚上，我們挨炸了，三個弟兄受傷。我忙著派兵組成擔架隊——可想而知，並不容易——任務剛分配完畢，海因斯走過來說：『司高德不見了。』司高德不告而別了。其他弟兄以爲他只是去上廁所，他卻一直沒回來。我們組成一支搜尋隊伍。我想他可能跌進墓穴了，所以我們在墓園爬來爬去，對著地洞喊他的名字，其實我心裡一直明白，他逃走了。我決定去追人。我知道，身爲連長，不應該自己去追逃兵，不過我的副手非常稱職，而且我知道司高德不可能跑太遠。那個階段，大軍集結，準備進攻，路塞得水泄不通。我希望趕在憲兵之前追上他，擔心他被就地槍斃，因爲本連的位置已經算是最前線，他的罪名是臨陣脫逃。我追得手忙腳亂，跌跌走走，幾乎覺得不可能追到他了，這時候終於看見人。他逃得不太遠。我追上他時，他甚至不看我，只顧著往前走。我走到他身邊，想跟他溝通，他一副沒聽見的模樣。所以我把他推出路面，連走帶滑，帶他到一個大水坑的邊緣停下。水面上總有一些殘餘的毒氣，接近時眼睛會覺得刺痛。他冷得皮膚發青。我跟他溝通。他說：『這沒道理。』我說：『對，我知道，不過，該做的事還是得做。』最後，我背名字給他聽，和他同一排的弟兄。我說：『他們也非做不可。你逃兵，只會讓他們的任務更難執行。』最後他站起來，跟我走，像一頭小羊。」

曼寧動起來，伸手再拿一支菸。「幾乎是我們一回營，就開始進攻了。上級的命令寫滿了『戰壕』、『攻擊位置』的字眼。哪來的戰壕？所謂的攻擊位置只有一行樹枝，上面亂綁幾條白緞帶。我們來得遲，天色已經快亮了。假如沒有耽擱時間，我們這連肯定會摸黑潛伏過敵陣而不自知。所謂的『戰線』是被炸出來的一列土坑，裡面是會吸人的那種泥巴。全連弟兄躲進土坑邊緣……待命。我們進攻了。不是近距離戰鬥，不過正前方有個斜坡，上面有機關槍對著我們掃射。死傷慘重。太慘重了，後送的希望渺茫。擔架隊兩三小時才走一百碼。我們只好再躲進一列土坑，跟剛才那一列完全一樣。天下大亂了。火力一稍微減弱，我趕快爬進另一坑，兩坑之間花了我一個鐘頭。爬進另一坑，我發現四個兵，完全沒受傷，我在心中感謝上帝。這個時候，其中一個弟兄突然問：『司高德哪裡去了？』問我有啥用？砲火這麼猛烈，我沒辦法出去找人。等火力稍微停息，我們聽見呼叫聲，好像從稍微後面的一坑傳出來，不遠，所以我們爬過去，找到司高德。

「他不是跌進去，就是被砲火從斜坡轟下去。我懷疑他是被轟進去的，因爲他離坑口滿遠的，泥巴已經淹到他的胸口。我們急著救他出來，甚至手牽手，排成一行，最前面的一個拿步槍，伸進去給他抓，還是搆不到。他的指尖只碰得到槍托，雙手都是泥巴，滑溜溜，即使握到步槍也握不緊。我研判，再救下去，難保坑外的弟兄不會跌進去。司高德慌了……哀求我們想想辦法。他臉上的那種表情，是我一輩子沒看過的模樣。同樣的情形一直延續，他繼續下沉，不過很緩慢。我知道應該怎麼辦。我叫坑外的弟兄握成一列，告訴他們，大家再試一次。我趁司高德看著其他弟兄，爬到坑口的對面，從他背後開槍。」曼寧閉上眼皮。「打偏了。這下子不妙了，他知道我想幹什麼。我再開一槍，這次沒有失手。

「我們在那一坑過夜。感覺很奇怪。身邊的弟兄應該不會說：『你的做法不對。你應該讓他慢慢等死才是。』但是，他們也不肯跟我講話。他們對我保持距離。」

漫長的一陣沉默。「他的母親寫信去醫院給我。感謝我。她說司高德曾經寫家書說，連長對他很仁慈。」

瑞佛斯堅決說：「你確實是。」

曼寧望著他，然後趕緊轉移視線。「隔天晚上，我們鬆了一口氣。我帶海因斯去營部報到，營長對我極度不滿。原來是我們這連脫隊了。我們躲錯了土坑。在營部，大家正在吃晚餐，有小牛肉和火腿餡餅，有紅酒可喝，我頓時理解，媽的，他們連一杯酒也不肯請我們喝。海因斯愣成了木頭人。所以我從桌上端走兩杯，一杯給他，大聲說：『各位紳士，敬國王。』當然囉，大家一聽，急忙起立。」曼寧笑一笑。「向國王敬假酒的罪名是什麼？我趁他們還沒回過神，趕快帶海因斯溜走。我們嘻嘻笑得像兩個小學生，在路上搖搖晃晃走著，炸彈飛來了，還笑個不停。我被炸成這樣。可憐的海因斯……我爬向他。他的眼睛直直看著我，說：『我沒事，媽。』說完，斷氣。」

瑞佛斯動一動，正想開口，這時聽見號角聲從街上傳來。「把窗簾掀開，可以嗎？」他說。

他掀開厚重的窗簾，灰濛的晨曦照進室內。曼寧縮縮脖子。他站起來，走向窗前，與瑞佛斯站在一起，正好看見一輛計程車從廣場另一邊駛來。瑞佛斯打開窗戶，鳥鳴聲灌滿全房間。

「羅斯告訴過我，」曼寧說，「警報解除的時候，他們會開計程車上街，載童車吹號角。我不相信他。」

兩人看著計程車駛離廣場。曼寧說：「以前我覺得某種**英國味**越嘗越有意思。現在不會了。」

第十四章

莎拉快來了。普萊爾走在貝斯沃特路上，往地鐵站前進，愈想心情愈高昂，坐上電車後，茫然凝望自己映在黑窗上的影子，思緒才轉向史布拉葛。自從那一夜在公園當面交手之後，他便不曾見到史布拉葛，但他不只一次懷疑史布拉葛正在跟蹤他。也許只是神經過敏吧。他的神經狀態確實不佳，而濕熱難耐的天氣更對他的情緒火上加油。記憶空白的頻率與長度俱增，也令他恐懼。

好比中世紀地圖上的未知領域，瑞佛斯說。**未知領域以妖怪註記**。但以他親身的體驗來說，更傳神的比喻應該是兩軍之間的無人地帶。他記得在法國戰場上看過一條小路，中途有個轉彎，更遠的地方被一道高樹籬遮住，而樹籬的另一邊正是無人地帶。而無人地帶的另一邊是德軍戰線，守著一堆像他這樣的軍人，吃、睡、拉、撒，對著手指呼氣以減輕刺骨的寒意，將蠟燭移過來，睜大眼睛反覆閱讀早已倒背如流的信件。他知道這狀況，大家都知道。可惜，大家無從相信起，因爲小路通往另一片去不得的境地，而「去不得」三字代表萬物具有危險性。令人毛骨悚然。

地下彌漫著無生命的空氣，不知爲何，有利病態思想產生。在地面上，在國王十字車站，空氣比較涼，有焦煤味，他的心情比較快活。他暗暗祈禱著，上帝，求求你，莎拉來訪期間不要出現記憶空白的現象。

他在柵欄旁邊等候，興奮得想吐。火車慢慢停靠，悶哼著，哮喘著，打嗝著，漸漸消退為連串的嘟噥，然後所有車廂的門齊開，乘客紛紛下車。心知即將見到莎拉，眼睛反而被興奮之情蒙蔽，剎那間全月臺的女人悉數變成莎拉。隨後，他恢復理智，全月臺僅剩一個女人，正朝著他走過來。

普萊爾一把抱起她，令她雙腳離地，最後放下她時，兩人相互凝視著。他留意到發黃的皮膚、黑眼圈、薑黃色的髮梢。薑黃並非她的本色，而是被軍火工廠的化學品染成的顏色。

「怎樣？」她說。

「妳好漂亮。那還用說嗎？妳一直都漂亮。」

他拎起莎拉的行李，帶她走向計程車排班處。

「不能搭地下鐵嗎？」她說著裹足不前。

普萊爾面露驚訝。

「我從沒搭過。」

踏上移動樓梯往下降，她變得神采飛揚，興奮得說不出話，直到上車之後，電車停了幾站，新鮮感逐漸消退了，她才開口。感覺像搭乘燈火通明的容器，直衝黝暗的隧道。她轉向普萊爾說：

「你看起來有點累。你沒事吧？」

「天氣太熱，」他說。「最近晚上睡不好。」

「你今晚會的。」

他微笑。「我還希望今天整晚不睡咧。」

這話說得太直接，她微笑，但視線轉向別處。

「妳母親好嗎？」

「沒變。最近店的生意不太好。二手貨的需求量不高。」

「羅森醫師疏通婦女腑臟的良方呢？我敢打賭，賣這東西，她一定賺翻天。」

「討厭啦。最近全是六便士治疑難雜症的東西。」

「是嗎？」普萊爾故作天真問。

她微笑著，最後呵呵笑開來。

一會兒之後她問：「你最近不是回家了嗎？情況怎樣？」

「不賴。跟幾個老朋友見了面。」

「有沒有對你媽提起我？」

普萊爾遲疑著。

「你沒提。」她說。

「我鋪好了路。」

「**比利**。你認爲她不會喜歡我，對不對？」

普萊爾知道母親確有此意。母親心目中的媳婦是哪一型，他完全明瞭。母親喜歡那種嫩皮無奶的女孩，常穿庭園舞會便裝、不忘帶手絹的那種女孩，在軍火部裡多的是。怪事是，他的確覺得這一型的女孩具有魅力，可惜風格並不投合他的喜好。她們會喚醒普萊爾的心魔。反觀莎拉，與莎拉做愛能哄他的心魔沉睡。「不是這原因。」他說。

「不是嗎？」她微笑著，普萊爾明瞭到，她其實不在意。「你爸呢？」

「我還沒告訴他。」

「你認爲**他會**喜歡我嗎？」

普萊爾從來沒想過。現在一想，他立刻知道父親**肯定會**喜歡莎拉，而莎拉也會喜歡他。莎拉不會**認同**老混帳的言行，但她跟他會相處愉快。想到這裡，排斥帶她回家的想法即刻緩和幾分。「時間多的是。」他說。

普萊爾帶她走向通往地下室公寓的樓梯，垃圾滿溢的臭味令他覺得丟臉，但他是過慮了。莎拉很滿意他的住處。他帶她參觀公寓各房廳之際，頓時明瞭到，即使公寓加倍陰暗，加倍不通風，她照樣會滿意。接下來的兩天兩夜，這裡將是兩人的窩，這才是最重要的事。

參觀完畢，她在房間裡的單人床坐下，試試看床墊的彈性，不顧旁人眼光。接著，她一抬頭，發現普萊爾正在看她，紅暈襲上臉龐，一掃枯黃。普萊爾一口氣鯁在咽喉，硬生生地乾嚥一下。

「如果妳想盥洗或泡個澡，浴室在隔壁。」

「好，我——」

「我幫妳拿毛巾。」

自己還沒準備好，就被對方上下其手、生吞活剝的那種感覺，有時普萊爾但願自己不知道。他從陰乾櫃取出毛巾時，聽見浴室門打開，接著察覺她雙手從背後抱住他的胸部。莎拉把臉埋進他的肩膀之間，嘴唇緊貼脊椎。「你感覺得到嗎？」她問。她開始呻吟，聲音深沉，令普萊爾的脊椎與胸腔隨著她的呼吸震動。他輕輕把莎拉推開。「妳一定累了吧。」他說。

她嘻嘻笑起來，他感覺聲聲入骨。「不是太累啦。」

兩人終究是泡過澡了。事後，兩人躺在床上，莎拉一肘支撐上身，另一手的指尖循著肋骨遊走，以秀髮籠罩住兩人世界。她問：「我最喜歡男人們的哪一部分，你猜。」說著，手指往下移動。

「**複數的男人？**」普萊爾以雙手圍嘴，對著陰戶喊：「喬—治？艾—伯？你們在裡面嗎？」

她微笑著，但她不放過。「這一部分啦。」她一指戳進肋骨之間，戳著腹部。

「**那裡？**」

「對。」

「呃？呃？」普萊爾說著挺起下體。

「喔，**那個**啊。」

「『**那個**』！」他掙扎著想坐起來，但見她往床尾挪，握住軟趴趴的陰莖往嘴裡送，他才躺回原位。

她抬頭微笑。「他也不錯啦。」

「他現在是丟臉丟到家了。妳看看。」

「怎麼能指望奇蹟呢？」

他閉眼。「妳再繼續下去，奇蹟有可能會出現。」

從上往下看著莎拉，見到她呲牙咧嘴，眼睛瞇成一線，頭往後仰，身體拱成脊椎欲裂的角度，這時普萊爾想起類似的表情。垂死的人也是這副嘴臉。

「今天想做什麼？」他問。「妳餓不餓？」

「不太餓。」

「我們可以去逛牛津街的商店。」

「你聽起來興致不高。」

「去逛皇家植物園也行。」

「你呢?你想逛哪裡?」

「植物園吧。今天天氣好,應該把握,室內活動可以留到明天。」

「還有室內活動啊?你會把我累壞喔。」

「不同的室內活動。」

「喔。」

進入皇家植物園之後,兩人漫無邊際地散步,對花卉的興趣不敵彼此的吸引力。午後的暑氣漸高,天空轉爲黃銅色,彷彿熔爐的門開著。兩人繼續走,順著對方的步伐,相依偎的影子逐漸從草地上消失了,也幾乎沒有注意到。

被雨滴擊中臉,他們才從溫存的迷霧裡驚醒過來。他們四下張望,滿臉迷惘。雨勢轉強,如鞭抽打著頭與肩,刹那之間莎拉的頭髮濕淋淋,變成紅褐色的黑麵條,上衣的袖子也被淋成透明。普萊爾想找避雨處,卻只看得見零星的幾棵樹,帶莎拉跑去樹下躲雨。雨水順著樹幹往下流,樹葉頻頻對著他們的頸背滴雨,躲在樹下也不是辦法。

莎拉開始冷得打哆嗦。普萊爾不知道目前的方位。草丘上有一棟仿希臘式的小神殿,可惜無法擋風。從他先前參觀皇家植物園的印象，他記得有一棟棕櫚館，裡面絕對暖和。如果能確定方向的話，棕櫚館肯定是最能避風雨的地方。他想出正門的位置，依稀記得從正門左轉就是棕櫚館。「我們還是跑過去吧，」他說。「這陣風雨不會說停就停。」

普萊爾一手摟著莎拉，兩人低頭奔跑，嘩嘩地踩著積水而過。雨水匯聚成小溪，從花床向外流瀉，氾濫至步道。普萊爾想脫下制服爲她遮雨，但被她婉拒。她勇敢冒雨往前衝，渾身濕透了，裙子黏在兩腿中間，上衣透明，頭髮淋成湯麵，皮膚晶瑩，步伐之穩健，登遍群山也沒問題。她說她決定淋個痛快。

湖面交雜著爆散的圓圈與水泡，洶湧紊亂，無法映照黑墨般的天空。目的地近在咫尺時，他們拔腿衝刺進入棕櫚館。普萊爾的臉與頸子感覺到一陣漣漪效應，緊接著是一股濕熱難耐的熱浪。他開始咳嗽。莎拉轉向他。「對你的胸腔不好，是嗎？」她問。

「沒關係，」他說著挺直身子。「其實很理想。」

走道上人擠人，擁擠到難以移動。四周盡是茂密的枝葉，樹梢直達眩目的玻璃屋頂，濕土與葉子滴水的氣息滿溢，流水潺潺，某處有隻失去自由的畫眉啼叫著。他們深入人群之後，人類的氣味當家：濕衣服、濕頭髮、冒蒸氣的皮膚。

普萊爾拉住莎拉的手臂，指向空中走道。「我們上去。上面比較不擠。」

他隱隱直覺，上面的空氣可能比較好。儘管他剛才若無其事，其實室內的濁氣令他備感壓抑。

莎拉慢慢跟著他走，沿途想欣賞植物。她拉拉普萊爾的手臂，指著一種花的粉紅色雄蕊，色澤艷麗至極。「他很美吧？」

「咦？妳不是喜歡肋骨嗎？」

「不是肋骨啦。是——」

他哈哈笑，把她拉過來，兩人站在迴旋梯的入口。莎拉一手伸向他的兩腿中間搓揉著。「我可以轉型喔。」

普萊爾把她拉得更緊，嘴巴埋進濕頭髮中，望向她的後面，視線並無特定的焦點。霎然間，瞳孔察覺一種似曾相識的輪廓。模糊的綠葉明朗化，眼前是一棵大樹，葉子有孔，他的視線能穿透枝葉而過，看見萊諾．史布拉葛的臉。錯不了。兩人在枝葉的兩邊互相凝視，距離不過四、五呎。接著，史布拉葛轉身，擠進人群，被人潮吞噬。

莎拉抬頭。「怎麼了？」

「我們上樓去。」

普萊爾牽手拉她走向迴旋梯，每遇轉彎時，他低頭望穿樹頂，見到樓下鑽動的人頭與肩膀，直到最後人群糊成一氣。一步步往上爬，雨打玻璃屋頂的音量也變大。窗景被水汽蒙蔽了，霧茫茫的白光撒在所有物體上。他俯瞰水珠晶瑩的樹梢，然後望著走道，尋找史布拉葛的寬肩與方頭。他帶著莎拉走在空中步道，幾度以為見到史布拉葛，但始終無法確定。起初，莎拉讚嘆著樹葉的形狀與紋路各不相同，的確很漂亮，他隨便看幾眼，表示贊同，但莎拉漸漸察覺他的態度變得封閉，她的話也愈來愈少。

剛才見到他，怎麼不開口？普萊爾心想。但他即使開口，又能說什麼？然而，正由於沒有開口，回首巧遇的場景時，卻有一種如夢似幻的感受。他再向下望，假如現在再看到史布拉葛的方頭在樓下移動，他的心情反而會輕鬆一些。

他察覺莎拉在看他，因此盡力讓舉止正常化，抹掉玻璃上的水汽，看看戶外的天候。「這樣吧，我們乾脆用跑的。」

在樹梢之上，白光漫射萬物，他已產生一種暴露在外的感受。史布拉葛若在樓下的人潮裡，抬頭一看，透過枝葉的破洞，就能看見白光圓頂下的他。

「好吧。」莎拉說。

她語帶困惑，但願意言聽計從。但他的莎拉也不是笨蛋。他遲早勢必要對她坦白。

其他人也決定冒雨衝刺。一群女人穿著厚重、濕透的裙子，僵著腿，衝向大門。

「妳跑得動嗎？」他問。

想笑的眼光一閃。「你呢？」

問得好。等到他們抵達地下車站，他喘得比莎拉厲害。他一手按著腰，一面想起史布拉葛說過：「等火車時，我排在你後面。」忽然間，他不想搭地鐵。他不想被封閉。「我有個更好的點子，」他說。「乾脆我們去河上搭船？如果在西敏橋下船，可以去參觀西敏寺。」

他們抵達港口時，船已靠岸，人潮開始洶湧。引擎開始噗噗響，船即將離岸，一群乘客在最後關頭湧上船，其中有一隊看似女校學生的乘客。普萊爾讓座給一位女老師。「我去幫妳端茶。」他對莎拉低語，走向吧台。

在他排隊的當兒，引擎的聲響加大，河水翻攪，船駛向河流中間。他把茶水端給莎拉，接著想喝自己手上的茶，但船身顛簸，他太難站穩雙腳喝茶，所以離開莎拉去找空位。他站在門口，外面是有遮篷的甲板，船尾有露天長椅。即使是這裡的長椅也坐滿人。雨幾乎停了，白色太陽偶爾從朦朧的雲層之上露臉。

前方的長椅坐著一群老男人，操著倫敦東區的土腔，苦中作樂，沒事找事開著玩笑。在他們的後面，有個男人坐在第三排的一端，肩膀異常寬闊，看似史布拉葛，但普萊爾難以確認，因為那人戴帽，臉朝另一邊。普萊爾拉長頸子，想看清他的側臉。果然是史布拉葛。肯定是。但普萊爾不確定。那人既不轉頭，也毫無動作，似乎有點蹊蹺。普萊爾沿著欄杆挨向他，漸漸意識到自己的動作有一種遲緩感，彷彿正在涉水走過一灘漿糊。他在腦海看見自己走向那男人，拍拍對方的肩膀，等著對方轉頭，而轉過來的臉卻是……他自己的臉。普萊爾坐下，視線與欄杆同高，一排珠光閃爍的雨滴掛在欄杆下面。他伸出一手，以食指尖逐一戳毀水珠，水順著手流進袖口，不舒服的感覺將他帶回現實。他再看。那人有可能是史布拉葛，也可能不是，但那人絕對與普萊爾大不相同。那人的頭與肩龐大而有力，與身形單薄的普萊爾有天壤之別，但普萊爾起身向前走時，卻覺得眼前這人的後腦勺是自己的腦袋瓜子。他深呼吸，凝望欄杆外的河，棕色、高水位、曲折的泰晤士河。他強迫自己的視線跟隨河面上的每一段枝葉，留意到各方水流匯聚著、分流著，宛如肌肉在皮下起伏。船又即將通過一座橋。他穩住身子，走向男子，拍拍對方肩膀。

史布拉葛的臉孔帶給他一股輕鬆感，輕鬆到怒火幾秒後才燃起。「你在這裡幹什麼？」

「回倫敦。你呢？」

對方的口氣是真驚訝，但普萊爾察覺對方的語調似笑非笑。史布拉葛的音量大過於必要，講給那一小群東區佬聽，也歡迎後面長椅上的聽眾湊熱鬧。

普萊爾壓低聲音。「你在跟蹤我嗎？」

「**跟蹤**你？」同樣大嗓門。「我幹嘛跟蹤你？」

他想傳達遭冤枉的心情，演技拙劣，宛如在音樂劇海報上排名吊車尾的演員，給人的印象不是他決心逢場作戲，而是他無法不演戲，讓人覺得他站在浴室鏡子前也非演戲不可。假如旁人成功摘下他的面具，也看不見他的臉。一陣嫌惡湧上心頭。「如果你跟蹤我，」他說，「我就——」

「你就怎樣？」史布拉葛等著，彷彿真的對這問題感興趣。「報警嗎？把我抓走？參觀植物園又不犯法。」他微笑。「那女孩長得很正點，」他說著朝船首點頭，然後以雙手罩胸。

「你敢靠近她的話，媽的，別怪我扭斷你的脖子。」

史布拉葛哈哈大笑，笑得雙下巴顫動，一手拍拍普萊爾的胸部，態度和氣。「沒關係啦。」他說，然後坐回長椅，望向河面，只斜眼看一下東區佬，面帶淡淡的微笑。

置身不動的某種物體裡，這東西太穩定，不可能是船。紫斑、綠斑遍布的手，在光滑的木頭上移動。接著，他回來了，凝視著紫光、綠光點點的窗戶。他找不到莎拉。慌張之餘，他一躍而起，開始尋找西敏寺，撥開遊客前進，仇視的眼光在他背後凝聚。

終於找到莎拉了。她站在十八世紀主教的大理石像旁邊，撫摸著滑順的表面。一束日光直射頭髮，散發出赭紅光芒。

普萊爾氣喘咻咻走過來，她抬頭。「你回來啦？」

她問得太貼切，以至於普萊爾講不出話，一時以爲，**被她知道了**。緊接著又馬上推翻這種想法。她當然不知道。

他們搭計程車回家。普萊爾思考著史布拉葛的事，因爲他害怕思考其他事情。令他氣憤的是，他想到史布拉葛可能在棕櫚館看見莎拉的親密之舉——莎拉靠過來，隔著粗布長褲搓揉陽具。那一段美好時光。在棕櫚館裡人擠人，潮濕、汗涔涔、皮膚冒蒸氣，兩人你儂我儂，史布拉葛的臉居然穿透樹葉偷窺他們。被他看見了嗎？一定看見了。普萊爾意識到一種近乎暴露無遺的感覺，甚至覺得被人侵犯了，彷彿親熱過程中屁股朝天，被人瞧見了。

計程車上下震動，左右搖晃。一陣往事浮現了，似乎與這天午後的事件無關。他氣喘病發作，父親牽著他走。帶他去哪裡呢？他是個多病的小孩，父親覺得丟臉，不明白為何自己生出這個怪胎。也許那天母親病了。對，所以父親才帶他出去。

父子坐在某地的長椅上，一名女子端檸檬水給他喝。父親當時驕傲地說——為何驕傲呢？原因不明——，是眞正的檸檬水，不是那種有氣泡的瓶裝東西。他也吃到萊姆果凍，裡面有果凍寶寶。他忙著吃果凍時，父親跟那女人上樓。樓上的窗戶沒關，他聽得見人聲。女人說：「哈利，那小孩怎麼辦？」接著父親以含糊而匆忙的口氣說：「他沒事。他捧著那碗東西，他沒啥好發牢騷的。」

「捧著那碗東西」並不輕鬆。小普萊爾喜歡果凍卻討厭果凍寶寶，主要是討厭別人的吃相——先咬寶寶的腳，然後舔寶寶的臉，大膽咬掉整顆頭，還把無頭屍轉過來，以展示亮亮的傷口。小普萊爾考慮只吃周圍的果凍，把寶寶救出抖來抖去的監獄，但他知道寶寶救不出來。這種果凍是特製的，不是給大人吃的，而且挑三揀四會惹父親生氣。因此，他強迫自己逐一吞下完整的寶寶，兩眼固定在樹上，不願思考自己的行為。即使如此，他照樣嘔了一兩次，激出眼油，樓上呼吸沉重的低語聲停了，彈簧床開始吱嘎響。

回家的路上，父親隨口說：「最好別告訴你媽。」接著，父親把他抱上肩膀坐著，一路扛著他回家，街上的人全看得到，厚實的大手握著兒子白皙的瘦腿。他終於有機會坐上肩膀耀武揚威回家了。小普萊爾沒有對母親吐實，只站在病榻旁，聽父親描述去公園一遊的謊話。小普萊爾受邀參與大陰謀，即使才五歲大，他也明白其中的價值多高。向母親告密將危及未來出遊的機會，他怎肯說實話？

那天夜裡，小普萊爾醒來，渾身發燙又濕黏，自知快吐了，開始放聲大哭，父親久久才來，走得東倒西歪，找電燈開關時還撞傷腳趾。高大的父親聳立在床邊，他抬頭看，接著嘴裡慢慢爆發出果凍寶寶，各個近乎完整無缺，父親看得瞠目結舌。

現在，普萊爾扶著莎拉下計程車，轉身付車資，這時心想，口吐果凍寶寶必定是一大奇景，就像目睹海馬生子一樣。

進公寓後，他點燃煤氣爐，以馬克杯泡兩杯濃烈的甜茶，莎拉則去脫掉濕衣服。她穿著普萊爾的晨衣回來，冷得不停發抖。他拉她過來坐在他的膝蓋之間，以毛巾擦拭她的頭髮。

「妳不是提到妳最喜歡的部分嗎？以我來說，我最喜歡的是妳的頭髮。」他說。他覺得舌頭像打結了，難以控制，一直與牙齒鬧彆扭。「我第一眼注意到的就是妳的頭髮有幾種不同的顏色。」

「你告訴過我，」她轉頭說。「不必說得這麼浪漫嘛。你當時一定在想，下面是什麼顏色，對不對？」

他微笑。「對。」

兩人坐著喝茶，她說：「怎樣，你打算告訴我嗎？」

過。」

「對。」他握起兩把頭髮，輕輕拉扯著。「不過情況比妳想的嚴重。我需要妳告訴我事情的經

「什麼時候？」

「在船上。」

她瞪大眼睛但不願爭執。「你讓位給女老師，去端茶，然後走向吧台邊站著。那時候，我看著河岸，沒留意到你在做什麼。太陽出來了，有些女學生跑到甲板上，老師覺得應該去盯緊學生，所以你回來時，我旁邊有個空位。我問你，船正要鑽過哪一座橋，你不應。我看得出你的心情又不對勁了。所以我隨你去。後來下船時，在棕櫚館碰到的那個男人等在梯子最上面。他講了一句跟我有關係的話，我是眞的沒聽清楚，結果你打他。他反擊，你舉起手杖，想敲破他的頭，所以他退後。他過橋，你抓住我的手，拖著我進西敏寺。我一直問：『怎麼回事？』問不出答案，所以暗罵，算了。我自己去參觀。」她等著。「你是眞的不記得這些事嗎？」

「我記得最前頭的事。」

「你不記得打他？」

「不記得。」

「他是誰？」

「不重要。」

「很重要啊。」

「跟妳沒關係。」

她的臉皮僵住。

她掙脫離開之際，普萊爾說：「別這樣啦，妳誤會我的意思了。」他以雙手捂臉。「妳想聽，我可以把他的事情全告訴你，不過他的背景不重要。最重要的是，我不記得事情的經過。」

「以前發生過？」

「已經有……兩個月了。」

他看得出莎拉的頭腦忙碌運作中，儘量減輕此話的嚴重性。「可是，你不是得過失憶症嗎？你剛從法國回來的時候，不是也說，你完全記不起來了？」她改以譴責的口吻。「你累得自己撐不住吧，一定是的。」

「妳非告訴我不可。」他儘量說得詼諧。「妳是第一個見到他的人。」

「怎麼會是『他』？不是『你』嗎？的確是你，沒錯吧？」

普萊爾搖頭。「妳不瞭解。」他跳起來，從床頭櫃最上面的抽屜取出一張紙。「看。」

莎拉讀到：**去你的，別亂動我的雪茄，行嗎？**

「我前幾天在口袋發現幾支雪茄，把它們扔掉了。」

「可是，筆跡是你的啊。」

「沒錯。我怎麼能說是『我』寫的呢？」

莎拉思忖著。「我剛說是『你』，指的不只是……你。我的意思是，我……我是說，你出現那種心情的時候，我認得你。記得我們第一次郊遊的情形嗎？去海邊玩的那一天？」

「記得，當然——」

「對，你那天就像這樣。痛恨所有人。在火車上，你還好好的，一到海邊，我搞不懂出了什麼事，你馬上脫離我身邊，我抓也抓不到你，能感應到你散發出的那種仇恨。你好像在說，沒去過法國戰場的人全是**垃圾**。今天在船上呢，你就像那樣。你的心情變成那樣的時候，你是一問三不答，根本是鄙視所有人。」她遲疑著。「包括我在內。」

「莎拉，那跟心情無關。情緒不好的人會記得當時的心情。」

當晚在床上，普萊爾繾綣在她背後，順著她的脊椎往下吻，動作輕柔，以免吻醒她。一節接著一節，階階朝著健全的精神狀態前進。

可惜明天過後，她即將遠去。

第十五章

星期一早晨，莎拉很早便動身，兩人在國王十字站的柵欄邊依偎著，吸著焦煤廢氣，沒有互道再見。

他想延後回家的時刻，不願面對空盪盪的公寓，因此加班。回家途中，他不斷告訴自己，空公寓不會太糟，至少不會像預期那麼糟糕。

結果更糟。

他走遍公寓各角落，搜尋莎拉的蛛絲馬跡。沙發軟墊上有個凹痕，他勸自己相信，是莎拉的頭躺出來的。他坐下，把頭壓在凹痕上，但此舉只能引發心痛，因爲從這角度看客廳，他更能認清家裡的空虛。

情況會好轉的，他安慰自己。

不見好轉。

他養成晚上到街頭散步的習慣，希望累到倒頭就睡。入夜後的倫敦令他著迷。他走在人行道上，看著地名：大理石拱門、皮卡迪利大道、查令十字路、圖騰漢廳路。戰壕全以這些地名來命名。在夜間的市街走著，戰場上的壕溝城在他四周形成，一座無法想像的迷宮，沙袋牆被火焰彈的光芒漂白。直到偶發的事件發生，例如一張紙被吹過人行道，或是聽見女孩的笑聲，他才回過神來，明白自己的所在地。

他接到莎拉的來信，放在壁爐架上，以一個小飾品壓著。飾品是個瓷偶，描繪的是風颷女孩牽狗散步的倩影。把信放在壁爐架上，他進門後，一眼就看得見。

晚上外出散步時，他經常想起史布拉葛，愈思考愈困惑。史布拉葛總是滿頭大汗，衣著邋遢，一臉醉態，令人聯想到他這人困苦潦倒，終生不得志。然而，監看公寓、一路跟蹤到皇家植物園並不容易，顯示史布拉葛具備相當程度的毅力，普萊爾怎麼想也覺得不合理。

一項合理的解釋是，史布拉葛奉婁德少校之命行事，但普萊爾不接受這項假設。情報處目前風聲鶴唳，人人只要起疑心，即使毫無根據，也信以爲眞。普萊爾見過一張錯覺圖，裡面畫著幾道樓梯，各自通往不同樓層，但仔細一看，才發現遠近關係不搭調，交錯的樓梯互不相連，也不通往任何樓層。

房東太太羅勒斯頓來到他的門口，雙手抱胸，擺出女人受威脅時常見的動作。「我想告訴你，我找人來處理垃圾桶了。我知道我承諾星期一，可是我一直找不到人來處理。」

這話必定是未完話題的下文。

普萊爾點點頭微笑。

他不記得跟房東太太討論過垃圾桶的事。

他非找到史布拉葛不可。他循著檔案上的住址，來到懷特查普區，站在風沙飛揚的人行道上，才發現住址已有異動。地下室有個貧血的女孩探頭出來，懷裡有個浮躁的嬰兒，告訴普萊爾說，她已經住了一年，不清楚先前的房客搬去哪裡。房東太太可能知道吧。

他來到街坊的小酒館，在雅室找到房東太太，證實先前的房客姓史布拉葛，但不知道他現在住哪裡。接著她問普萊爾知不知道，開膛手殺害瑪麗．凱利的前一晚，瑪麗就在這間小酒館喝酒。她跟瑪麗很熟，把她當成親姊妹，結果瑪麗的心臟被挖出來，肺也是，腸子流了一地，她坐的就是那一張椅子——

他買了一杯檸檬加波特，留下她去盡情回顧往事。普萊爾覺得奇怪，半個歐洲正打得不可開交，大家怎麼依舊念念不忘開膛手，還能大談慘死的五個女人。

空白的現象愈來愈多了，並非時段變長，而是變得更頻繁，一天多達四、五次。晚上除非去看瑞佛斯，他會待在家裡。他知道，待在公寓裡對他的身心都不好，但他害怕出門，唯恐給他更多揮灑的空間。當然是白費心機了。他想出門，隨時能走，而且確實走出門過幾次，只不過，有時唯一的跡象是皮膚上殘留新鮮空氣。

有天上午，婁德少校叫他過去。

「最近好消息不多，我想跟你報一個，」婁德說。「邁克道伍落網了。」

普萊爾大受震撼，感到反胃，但他設法表現得無動於衷。「喔？什麼時候？」

「幾天前。在利物浦。在查理．戈立佛斯家中。他們也抓走戈立佛斯。」

「哼。嗯，的確是有進展了。」

「是個好消息，不是嗎？」

普萊爾點頭。

「你知道嗎，」婁德瞇眼看著他，「我以前總認爲我瞭解你，常以爲能掌握你的習性。」他等著。「啊，算了。回去辦公吧。」

普萊爾以前看見婁德不停撫弄八字鬍，認爲這動作顯示婁德不堪一擊，現在不這麼認爲了。

夜夜不得安眠。他仍吃安眠藥，有時第一顆沒作用，他再吞一顆。瑞佛斯苦勸他停止用藥，被他當耳邊風。他不睡不行。

當晚，他吞下第二顆之後熟睡，被敲門聲吵醒，溴化鉀的藥效如漿糊，糊遍全身內外。即使他總算下床了，他仍渾身不適。穿上長褲與襯衫的同時，他差點嘔吐。敲門聲持續一陣，隨後停止。想必是敲累了走人。普萊爾正想躺回床上，這時記得睡前沒關門。蠢事做一堆，不關門是最蠢的一樁。但門關著，空氣不流通。

門開著也不是辦法，他非去關門不可。

走道充滿甘藍菜的腐臭，儘管房東太太再三承諾，垃圾桶周遭仍無人收拾。普萊爾踉蹌前進，門開著。他往外看。天空不是夏夜常見的藍，而是接近褐色，看似略微燒焦的牛油。他回公寓邊走邊把吊褲帶拉上肩。

走過客廳門時，他聽見動作聲。

他緩緩推動半開的客廳門。史布拉葛坐在扶手椅上，態度冷淡，粗手指攤在打開的大腿上，向門口望，一副心虛的模樣，表情有點傻氣。心虛卻頑固。「怎樣？」他說。「你找我來，想商量什麼事？」

「你老是不請自來，隨便進別人家裡嗎？」

「我以爲聽見你說進來。」他懶得在謊言裡摻加一點說服力。「你門沒關，我知道你一定在家。你可要當心一點喔，不然會遭小偷。」說著匆匆四下梭巡客廳一圈，表示客廳裡沒有值得偷的東西。

普萊爾動怒了。不是因爲史布拉葛不請自來。怒火來自更深、更不合理性的層次。他生氣是因爲史布拉葛的手指半握在大腿上的姿勢，手指一副無辜的模樣，呈粉紅的蠟色，近似最低廉的香腸。

「你不高興的話，我可以站起來，再敲一次門。」史布拉葛說，擺出滑稽的臉孔。

「沒關係了，」普萊爾說著坐下。「你想幹什麼？」

「你呢？你想幹什麼？」

普萊爾面無表情。

「一路追到我家的人是你。」

史布拉葛喝醉了。他掩飾得不錯，但咬字過於精確，反而曝露一絲醉意，類似水面下奔騰而上的氣泡。

「想喝點東西嗎？」普萊爾提議。

「啊，好啊。」

普萊爾需要思考的時間，以理解對付史布拉葛的招數。威士忌放在廚房。問題是，他憎恨史布拉葛，恨到連動用必要的招數也令他不悅。對付史布拉葛這種人不必用招數。直接壓扁他就行。

他進廚房，開水龍頭，灌滿一壺水，關掉水龍頭，霎時間四下寂靜，他聽見客廳傳來一種偷偷摸摸的聲響，他覺得是偷偷摸摸的動作。他快步走進客廳門。

史布拉葛站在壁爐架前，正要抽出壓在飾品下面的信。不對，不是抽出來，而是把莎拉的信放回原位。

「你偷看我的信？」普萊爾衝進客廳。他記得莎拉在信上提及交歡的事，行文露骨。「你偷看我的信？」

史布拉葛用力乾嚥一下。「任務在身。」

「你不應該偷看我的信。」

「哎喲，拜託，」史布拉葛說。「你以為她會在意嗎？在棕櫚館，我看見她只差沒把你的屌掏出來。」

普萊爾輕輕握住史布拉葛的前臂，以頭撞他的臉，頭頂接觸到史布拉葛的鼻梁，撞出心滿意足的軟骨斷裂聲。史布拉葛想掙脫，旋即向前傾倒，鮮血直流，伸手止血，但手抖得太厲害，按不住鼻孔。

普萊爾想逼他站直，像小孩拉著玩具做動作似的。史布拉葛向後跌撞，撞上落地燈，燈倒在他身上。他躺在地板上，攤開手指按著斷鼻，想講話卻只發出咕咕聲。

著。」

普萊爾氣史布拉葛，也氣自己，進廚房以冷水弄濕茶巾，回客廳遞給史布拉葛。「拿去按

史布拉葛蹙著眉頭，淚水撲簌簌流下，拿濕巾輕輕地擦臉。「斷了。」他終於講出話來。茶巾被血染紅了，他以含糊的動作指著，普萊爾接走茶巾，再拿一條過來。一圈脂肪鼓在史布拉葛的腰帶上方，普萊爾考慮一腳踹破他的腎臟，但於心不忍。史布拉葛慘得不成人形。普萊爾把茶巾扔給他，自己在最靠近的椅子坐下，氣得直發抖，無法平息。他想打架。打架不成，他卻坐著把玩茶巾，活像他媽的南丁格爾。

過了一會兒，史布拉葛哭了。普萊爾瞪著他，既驚訝又嫌惡，心想，天啊，我受不了了。「走吧，」他扯著史布拉葛的袖子。「滾。」

「走不動。」

「我幫你叫計程車。」

普萊爾勉強穿好靴子與綁腿布，然後回到客廳，攙扶他站起來。史布拉葛跌跌走走，來到門口，一半憑意志力，一半靠著普萊爾的拉扯。普萊爾暗罵，混蛋，一面把他推上樓梯，但這時怒火消退了，令他寂寞。

兩人在街上搖搖晃晃，史布拉葛半身壓在他身上，猶如兩個醉漢。「被人看見這樣，會給我添多少麻煩，你知道嗎？」普萊爾問。

頭兩輛計程車不停。在褐色的空氣裡，史布拉葛的臉看起來骯髒，但流血看起來不比剛才嚴重。他站著，身體微微搖晃，無視於噪音、暑氣、路過的人群、流汗的人臉。他明顯懷恨在心，宛如隨身端著恨意滿溢的心杯。「婁德答應送我去南非。你知道嗎？費用全由他負擔。」

「你肯去嗎？」

「可能。」他四處望，恨意漫溢出來了。「這裡的一切全去死吧。」

普萊爾想起有些事非問清楚不可。「婁德是不是派你跟蹤我？」

「對。」

「我去找荷娣．洛葡的那天，你有沒有跟蹤我？」

「沒有，那次沒有。」

史布拉葛若非演技進步了，就是實話實說。史布拉葛開始揮手大叫：「計程車！」

計程車在離他們幾步的地方停下來。「給我錢。」他說。

普萊爾伸手進長褲口袋。「這給你。」

史布拉葛彎腰說：「大理石拱門。」普萊爾聽得見，他怎可能自暴地址？

「你那天一定在跟蹤我，」普萊爾說。「報警抓邁克道伍的人一定是你。」

史布拉葛從陰暗的車裡抬頭。「不是我，老闆啊。」他語帶諷刺，漠不關心。「婁德說是你。」

第十六章

在帝國醫院裡，查爾斯．曼寧審視著西洋棋盤，以食指尖輕輕推倒黑王。

「你又贏了。」他說。

魯卡斯咧嘴笑，這時有人站在病床區的門口附近，身穿陸軍制服。魯卡斯指向曼寧的背後。

曼寧站起來，眼神乍現一絲恐懼。以「恐懼」來形容，或許言過其實，但曼寧絕對是不自在，只不過他一如平常，做出煞費苦心掩飾恐懼的表情，走向普萊爾，伸出一手。「哇，」他說，「太意外了。」

「你好嗎？」

「好多了。我們去我房間談吧。」

走在走廊上，曼寧言談自若。「他呀，很了不起，雖然棋子的名稱一個也不記得，天啊，下棋的技巧卻一級棒。」

曼寧的病房布置宜人，床頭櫃上有一盆玫瑰，一本封面鮮黃紅的書攤開，面朝下，壓在床上。

「作者的大名你一定聽過。」曼寧說著拿起書。

普萊爾看書名，《反擊》，見到作者是西弗里．薩松。

「你們一定是在同一時間在奎葛洛卡住院。」曼寧說。

「是——的。至於交情多深，我就不曉得了。坦白說。」普萊爾合上書，放在床頭櫃上，旁邊是曼寧妻小的合照，與曼寧家裡大鋼琴上的那一張相同。「他恨死了那間醫院。」

「是嗎？」曼寧說。

「當然是，他表白得一清二楚。也恨裡面的人。緊張蟲、怠惰工、墮落漢。」

「這嘛，」曼寧說著請普萊爾坐，「彼此彼此，容我向同一型的緊張、怠惰墮落漢問候……你好嗎？」

「還好吧，我想。情報處快收攤了，所以我不太知道將來會怎樣。」

曼寧微笑。「你大概想待在軍火部吧？」

「不特別想。」

「喔？這樣的話，可能會比較困難。我在戰爭部有個朋友，名叫查爾斯．蒙克里福，不知道你認不認識？總之，他的工作之一是替候補軍官營甄選教官。你會考慮吧？」

普萊爾彎腰向前。「等一等。我不是來這裡奉承你或你在戰爭部的臭朋友。我來的目的是告訴你——如果你不介意聽聽看——我想跟你談一件事。」

「什麼事？」

「一個女人。名叫碧蒂・洛葡。」

曼寧一臉困惑。「那個洛葡？企圖毒殺首相的洛葡？」

「對。」普萊爾從公事包抽出一份檔案。「不過，她被冤枉了。」

曼寧接下檔案。「你要我現在讀嗎？」

「我已經概述過了。讀一遍只需要幾分鐘。」

曼寧全心閱讀檔案，讀完時抬頭。「我可以留著這份嗎？」

「可以，我有副本。相關文件的副本也有。」

「你是說，你把部內文件副本留作己用？」曼寧噘嘴說。「你不太照規矩行事，對吧？」

「你也一樣。」

「我們的處境相同，不是嗎？」語調轉爲強硬。「我認爲，我們的處境應該完全相同。」

普萊爾朝相片微微瞟一眼。「未必。」

曼寧站起來，走向窗前，一時不語。隨後他轉身說：「爲什麼？你爲什麼不一來就開口說，『喂，我很擔心這件事，你讀讀這份報告，好嗎？』你大可以用這句話當開場白，爲的是……沒必要扯那些東西嘛。」

普萊爾一陣心寒，赫然領會曼寧的話有道理。「胡扯。碧蒂．洛葡是個勞工階層的女人，出身是索爾福德的小巷弄，你對她才不屑一顧。我對事不對人——倒也有幾分——我指的是你的階級。」

曼寧現在露出興趣，氣消了。「你是眞的認爲階級決定一切，對不對？」

「階級決定一個人會不會被看扁？對。」

「可是，這不是個人問題吧？好，我承認，我完全不認識住在索爾福德小巷裡的女人。我不願不懂裝懂。我也不想裝懂。這並不代表我樂見她們爲了僞證坐牢。或爲了任何理由坐牢。」

「好了，省一省道德憤慨，行嗎？我一進來，第一句話都沒講，你就認定我是來討閒差事。假如來找你的是跟你同一階層的人，你眞的會這樣認定嗎？」

「會。」

「我不相信你。」

「是眞的會。」

「我猜你碰過幾十個人吧？來跟你討個穩定的工作？」

「對。」曼寧神色黯然地說。

普萊爾看著他。「天啊。多好玩。」

「不盡然。」

兩人默默對坐著，兩者都察覺氣氛轉變，雙方都不確定氣氛轉變的意義何在。「你說得對，」曼寧總算開口。「妄下假設的確傷人，對不起。」

在此同時，門打開來，進來的人是瑞佛斯。

「查爾斯，我——」瑞佛斯見到普萊爾陡然止步。「哈囉。對不起，我不知道你有客人。」他對著普萊爾微笑。「希望你沒累到我的病人吧？」

「他倒是把我累壞了，」普萊爾語帶怒意。

「你來找我，有什麼事嗎？」曼寧問。

瑞佛斯說：「不急。」說完離開病房。

無言一小段時間後，普萊爾說：「我也覺得抱歉。你說的對，當然。被下對上的階級偏見掃到，也不見得好受。」只是更活該。「你認爲，我應不應該把檔案交給她的國會議員看？」

「天啊，千萬不要。下議院一旦否認，事實就已經確立了。這樣吧，我去向艾德華·馬緒說說看。只不過，你不要抱太高的期望。我的意思是，從你的報告看來，她藏匿逃兵是千眞萬確的事實。單單這條罪名就能被判兩年的苦役。她才只坐一年牢。」

「她的罪名不是藏匿逃兵。」

曼寧說：「政府還不準備放她出來。」

「不然想怎樣？」

「等戰爭結束再說。悄悄放她走。」

普萊爾搖搖頭。「她撐不了那麼久。」

當晚九時，普萊爾外出買醉。凌晨時分，他才恢復神智，迷迷糊糊地拿鑰匙找鎖孔，出門至回家之間的五小時一片空白。

瑞佛斯揉揉眼角，擠出吱聲。「這是最久的一次，對吧？」

「對。差不多。」

「有任何跡象嗎？我是說，你是不是出去喝酒了？」

「灌得醉醺醺。頭到現在還痛。」

瑞佛斯戴回眼鏡。

「目前的狀況對我造成……」普萊爾深深吸一口氣。「怎麼說才好？對我造成的困擾之一是，別人喝酒，宿醉卻常常由我承擔。這種情形相當頻繁。」

「不是『別人』。」

普萊爾偏移視線。「有件事情你不知道多噁心。檢查內褲才曉得『最近活動』。」

瑞佛斯向下看著自己的手背。「我想講一件你可能不喜歡聽的事。」

隔壁的電話響起。

普萊爾微笑。「我只能苦等壞消息了。」

來電者是哈利斯上尉，告知明日的飛機班次。瑞佛斯寫下細節，整理思緒片刻，然後才回隔壁見普萊爾。

普萊爾站在壁爐架旁，翻閱著一疊戰地明信片。瑞佛斯關著門，心想，被他翻看也無所謂。戰地明信片不含寄件人資訊，只透露寄件人仍活著的消息——至少寄件時仍活著。「他的書出版了，你知道嗎？」普萊爾說著舉起一張明信片。「曼寧有一本。」

「知道。」

瑞佛斯坐下，等著普萊爾過來坐。

「我在想，這才是眞正的挑戰，」普萊爾說。「對你來說，歸建的這群人，才是令你自我質疑的癥結。我是說，顯然，這堆明信片讓你正視自己的情緒，讓你面對恐懼，讓你自己體會到感傷……神效卓著。在後方。」普萊爾走向他，對著他彎腰。「可是，在前線呢？你認爲，他們回到前線，情況會好轉嗎？或者發瘋的速度會更快？」

「沒有人做過後續追蹤研究。電療的復發率非常高。我的病患後來的情況如何，我不清楚。顯然，保持聯絡的病患屬於自願組，這群人的自述純屬軼事，幾乎不足採用。」

「我的天哪，瑞佛斯，你是個冷血的混帳。」

「你問的是科學問題，得到的是科學答案。」

普萊爾坐下。「躲得妙。」

瑞佛斯摘下眼鏡。「我其實什麼也不想躲。我想說的是，我認爲你也許應該考慮住院。這——」

「你沒資格對我下命令。」

「對，沒錯。我希望你對我的信任夠深，能接受我的勸告。」

普萊爾搖頭。「我只是沒辦法面對。」

瑞佛斯點點頭。「這樣的話，我們只能在院外想辦法。你至少能請病假吧？」

再次猛搖頭。「還不行。」

前往監獄途中，普萊爾不願思考訪談的事，直到橫越放封場時，才開始想起碧蒂·洛蔔。女獄卒搖著鑰匙說，碧蒂又開始絕食抗議了。而且傳染到流行性感冒。缺乏抵抗力。在醫務室住了一整個星期。待會兒見到她，會覺得她很虛弱。醫院醫師想強迫灌食，但內政部的智者自有定見，認爲灌食的做法不足取。

碧蒂比普萊爾印象中的她更瘦。

普萊爾站在門口。她躺在床上，鐵窗的影子橫陳在她的臉上。女獄卒靠牆站在關好的牢門旁。

「我想單獨見她。」

普萊爾預期獄卒不會答應，但獄卒一聽，立刻退下。

「權威之聲喔，比利。」

碧蒂張口時，薄膜附著在嘴角，顯示她鮮少動口。

他移向床邊。「聽說妳病了。」

「流行性感冒。大家都被傳染到了。」

他保持站姿，彷彿需要她同意才肯坐。她朝椅子點一下頭。

「我一直在盡力，」他說。「可惜效果不大。我本來希望邁克能幫忙，不過——」

胸口的動作顯示她可能在笑。「以他現在的處境，幫不上忙囉。你知道他被關進哪裡嗎？萬茲華斯。」

「是這樣的，妳確實藏匿過逃兵。政府認爲妳會再犯。」

她撐起身子。「廢話，我當然會再犯。我現在雖然瘦得像稻草人，不過，我的這裡，」——她敲敲側腦——「還是老樣子。」

牢門外的女獄卒咳嗽著。

「有個小子姓布萊特摩，你記得吧？」

「不記得。」

「什麼話?你記得啦。」

他不記得,但仍點頭。

「很討人喜歡的一個孩子。他被關進克立梭普斯。拘留十二個月。他當然拒絕服從命令囉,所以他被關進禁閉室二十八天。獄方挖個坑,對著裡面灌水,把他推下去,他坐也不是,更不能躺,成天只有黏土牆可看。有人站在坑口告訴他,他的好友全被送去法國吃槍子了,他再不乖乖服從軍令,會碰到同樣的下場。他以爲自己的神智快崩潰了。接著,大雨開始下,坑裡的水快滿了,看守他的士兵好同情他,把他救出來,讓他睡進帳篷,不久被指揮官發現。隔天,他又被趕進坑裡。幸好,有個兵丟給他一個空的香菸包,讓他有紙可寫信,不然他會死在裡面沒人知道。後來士兵幫他把信走私出來——」

「結果折磨他的軍官被軍法審判。碧蒂,法國戰場上有一百萬個軍人站在水坑裡,水都淹到老二了,誰會爲這事受軍法審判?」

「假如由我當家,法國戰場上的每個該死的將軍都躲不過軍法。關心那些士兵的人不只你一個啊。不然你以爲我爲了誰坐牢?」停頓一陣。「我想說的是,跟土坑比較起來,這裡簡直是他媽的皇宮。我能被關在這裡,算是我走運。」

他看著碧蒂,見到單薄的連身裙囚衣遮不住心跳的動作。「妳最近見到荷娣了嗎?」

「兩次。對了,她今天會來。我猜,我們母女應該感謝你吧?」

「小事一樁。」

「怎麼算小事，比利？天大的好事。」她遲疑著。「有件事，我應該讓你知道——我不是說我相信——是我們家荷娣認爲，邁克被揪出來，事情發生得有點太湊巧了。她……」碧蒂搖搖頭。「她認爲是你告密。」

「不是。」

「對，我知道不是。沒關係啦，兒子，我跟再她溝通。」

普萊爾一手放在她裸露的手臂上，觸摸到手骨。「我該走了。」他說。

他走過去敲門。「我會再來探望妳的。」他說著轉身背對她。

她望著，沒有回應。

普萊爾跟隨女獄卒走過放封場，周圍的高牆上是一排排的鐵窗，他幾乎視若無睹，更沒有看見迎面走來的人是荷娣。她拎著網袋，由另一位女獄卒帶來，兩人幾乎擦身時，普萊爾才看見她，喊她的名字，她才不情願地停下。

兩個獄卒駐足觀望。

荷娣走向他。「你膽子好大，竟敢露臉。」

儘管挨罵，他對著荷娣彎腰，以爲對方即將打招呼。荷娣對準他的臉吐口水。

獄卒揪住她的手臂。普萊爾慢慢擦臉，視線鎖定荷娣說：「沒關係，放她走。」

兩人在獄卒的伴隨下，各分東西，在浩瀚的柏油地面上跋涉，宛如甲蟲。在被牢房吞噬之前，荷娣轉頭，以充滿絕望的岔嗓叫罵：「你這個狗雜種。**邁克怎麼辦？**」

走出監獄，普萊爾凝望著大樓，在昏暗的毛毛雨中，看著滲血綳帶似的大樓正面。荷娣吐的口水似乎在他的臉皮上發燙，他舉手再度擦拭臉頰，然後轉身，快步走向車站，隨著靴子踩拖砂石的聲響，腦海反覆響起：狗雜種贏了。狗雜種贏了。狗雜種……

第三部

第十七章

瑞佛斯騰出整個下午寫一份軍訓報告，準備提交醫學研究委員會。最近幾天以來，他的辦公桌上堆滿步兵訓練手冊。下午一開始，他以一小時的時間埋首手冊之間，然後讀到自己先前寫好的最後一段話：

許多在現代戰場毫髮無傷之軍人之所以能全身而退，原因是其人想像力遲緩。然而，倘使其人想像力活躍而強烈，最好任其想像力馳騁於戰場上的苦難與危機，不宜設法長期壓抑……

有人敲門。勃登上尉攻擊護士。瑞佛斯在走廊假跑一陣，看見電梯停在地下室，改走樓梯，一步下三階。來到勃登的房間，他看見門外圍著一群護士與兩名勤務員。勃登顯然不准他們進門。從七嘴八舌的憤慨聲中，瑞佛斯推斷事實是勃登對葡拉特護士扔飛刀。刀子並不鋒利，護士也未受傷，但刀子終究是利器。以本院護士而言，比葡拉特更老、經驗更豐富的護士不多。奈何她的歷練來自維多利亞時代的大型精神病院，病房深鎖，醫護人員與病患之間若有爭執，錯的一方絕對是病患，無庸置疑。

從勃登與葡拉特護士的觀點來看，兩人的立場明顯可見。勃登動不動訴諸暴力，不能怪他，畢竟他四年來接受的訓練正是第一時間以武力反應。反觀葡拉特護士，她照顧病患三十年，見慣了聽話的病患，而這病人卻比較習慣發號施令。

瑞佛斯把手杖交給勤務員，拍一拍門。「可以讓我進來嗎？」

嘟噥一聲，不是斷然制止。瑞佛斯開門入內。勃登站在窗前，仍有怒氣，心虛，慚愧。瑞佛斯的個頭比他高，所以坐下，好讓勃登能居高臨下。勃登被嚇壞了。「說吧。這次是什麼狀況？」

「我告訴她，這牛肉根本不能吃。她說我有的吃，就應該惜福。」

「所以你扔刀子？」

「沒中啊。有嗎？」

兩人對談半小時。然後瑞佛斯起身想走。

「我會跟她道歉的。」勃登說。

「也好，算是一個好開端。只要你別被她的回應惹惱了。」

「我會盡力而爲。」勃登說，怒視著他。

「我知道你會的。對了，你罵牛肉罵得有理。我也吃不下。」

瑞佛斯找沃特斯修女溝通一陣，希望她能代勸葡拉特護士坦然接受道歉。接著，瑞佛斯想到，既然已經來病房區了，不如順便去找曼寧聊聊。想到這裡，他記得曼寧比較可能待在神經病房區，因爲曼寧愛下棋，與魯卡斯等幾位棋手的交情穩固。曼寧的病情有起色了，幾乎能出院返家。

果然正在下西洋棋。鴉雀無聲，渾然忘我。瑞佛斯站到他們身邊，他們才抬頭。

魯卡斯頭上的傷口已停止出血，頭髮漸漸冒出，在白皙的頭皮上覆蓋黑黑的一層細毛，相當動人，看似一隻不協調的醜小雞。「成績如何？」瑞佛斯問曼寧。

「我被打得站不住了，」曼寧的語氣快活。「我十七，他十九。」

魯卡斯指向黑板。「我二十才對。」他咯咯奸笑著。

魯卡斯對數字的掌握的確過人，瑞佛斯心想，微笑走開，深入病房區，來到一張沒有屏風的病床旁，見到一名和平分子勤務員正在忙著清理失禁病患。這位病患姓威格士，雙腿持續做著不由自主的踏步動作，其實需要兩名勤務員合作，一人按住他的腿，另一人才有辦法清理穢物。液態的糞便已沾染腳跟，擴散到床單。勤務員馬丁紅著臉，神色慌張，威格士則恥怒交加，氣得臉色發白。

瑞佛斯在床邊停下。「沒聽過屏風嗎？」他問。

馬丁抬頭。「萬帝吉說他會去幫我搬過來。」

萬帝吉正在職員室門口抽菸偷懶。反正勤務員是個良心逃兵，忙不過來是他家的事，萬帝吉不急著去支援。他瞪大眼睛。「我只是在——」

「少辯解了。快去搬屏風，圍住那張病床。現在就去。還不快去幫忙？」臨走前，瑞佛斯又回頭罵：「另外，把菸熄掉。」

瑞佛斯回到辦公桌時，仍氣得發抖。他強迫自己專心在未完成的段落上。

……倘使其人想像力活躍而強烈，最好任其想像力馳騁於戰場上的苦難與危機，不宜設法長期壓抑。藉由壓抑的做法，病態能量可能蓄積，類似彈藥庫，遇到精神震撼或肉體疾病時，隨時可能爆發。

彈藥庫爆炸的比喻是陳腔濫調了，他想。儘管如此，勃登確實是非常合適的寫照。形容瑞佛斯自己也滿傳神的。

有人敲門。「沒空，」瑞佛斯說。「不管有什麼事，我沒空。」

羅傑斯小姐微笑。「你剛上樓去病房時，有人來電，提到一位薩松上尉。」

對方話才講完，瑞佛斯已經起立。「他怎麼了？」

「他被送到蘭開斯特門區的美國紅十字醫院，聽說是頭部受傷。你願不願意去看他？」

「多嚴重？」

「我不清楚。對方沒說。」

在前往蘭開斯特門區的計程車上，瑞佛斯自己的報告在腦海反覆迴盪：**倘使其人想像力活躍而強烈，最好任其想像力馳騁**……他望向車窗外，甩甩頭，彷彿想擺脫這句。這樣的建議根本不恰當。他不需要想像力，天啊。他自己是神經科醫師，完全知道砲彈碎片與子彈會對人腦造成什麼樣傷害。

病床區占地寬廣，灰泥牆上的裝飾繁複，高窗外的景觀是海德公園。兩張病床空著，其他病床上躺著輕傷的軍人，所有病患的表情還算愉悅。病房中央有一張桌子，上面的留聲機正在播放一首流行情歌。**你叫我愛上你**。

一位護士匆匆走來。「你是想——」

「薩松上尉。」

「他被推進單人房了。他們沒告訴你嗎？再上兩層樓，不過他好像不准……」護士的視線落在皇家陸軍軍醫隊的徽章上。「你是瑞佛斯醫師嗎？」

「對。」

「松德斯醫師好像在等你。」

松德斯醫師在辦公室門外等候。他的身材矮小，兩頰鼓起，薑色頭髮蓋不住額頭，藍眼比其他五官年輕十歲。「他們叫你去大病房找人。」他邊說邊握手。

瑞佛斯跟著他進辦公室。「多嚴重？」

「他的傷口——一點也不嚴重。我可以指給你看。」他從辦公桌上的檔案抽出一張X光片，舉向燈光，顯露薩松的顱骨。「看見沒？」松德斯指著完好無缺的頭骨。「子彈從這裡擦過去。」他指著自己的頭。「在頭皮劃出一道相當平整的開口。」

瑞佛斯吐出一口氣。「好幸運。」他儘量說得輕鬆。

「我倒覺得，他不認爲自己很幸運。」

兩人在辦公桌兩邊對坐。「我接到的留言滿含糊的，抱歉，」瑞佛斯說。「不清楚找我來的人是你，或者是——」

「是我，沒錯。我在檔案上看見你的大名，想說，既然你治療過他，也許不介意再來看看他。」松德斯遲疑著。「我猜他是個很不尋常的病患。」

奎葛洛卡的報告結尾有瑞佛斯的簽名，他低頭看著。「他發表過反戰宣言……」他深吸一口氣。「判定他精神崩潰很省事。」

「省誰的事？」

「戰爭部。他的朋友們。到頭來，對薩松最省事。」

「你當初勸他歸建嗎？」

「是他決定歸建的。哪裡不對勁嗎？」

「他現在……他到院時一切正常。表面是。後來，他一口氣接見了八個客人。院方規定最多兩人。不過當班的護士太年輕，覺得她趕不動人。她不會再犯同樣的錯誤了。總之，等到客人終於走了，他的情緒變得低落。非常沮喪。接著，他整晚睡不好——大家都睡不好——所以我們決定換單人房試試看，不准見客。」

「他現在憂鬱嗎？」

「正好相反。情緒高昂。喋喋不休。可惜現在沒人聽他講話。」

瑞佛斯微笑。「我最好趕快去見他，替他添個聽眾。」

這道走廊的地毯深厚，牆上的畫作鑲著鍍金框。他跟著松德斯走，回想起奎葛洛卡的走廊，陰暗、冷颼颼、菸味嗆鼻。這一道走廊無風，柔軟豪華，同樣也讓人心情無法伸張。他望向窗外，看見兩棟樓房之間形成一口黑色深井。一隻鴿子站在窗臺上，粉紅色的鳥腳上有裂痕，其中一隻半腳踩在深淵的邊緣。

松德斯說：「下午他好像有一段時間狀況不錯。現在可能睡著了。」他輕輕開門，兩人一同入內。

薩松熟睡著，臉色蒼白而內斂，頭上裹著繃帶。「要不要我——」松德斯低聲說，指著薩松。

「不用了，讓他睡吧。我可以等。」

「那我就不陪了。」松德斯說著離開。

瑞佛斯在床邊坐下。病房裡另有一張床，被單凌亂。鮮花、水果、巧克力、書籍疊在床頭櫃上。他不想吵醒西弗里，但漸漸地，低語回流腦海，開始擾動閉鎖的臉龐。西弗里舔舔嘴唇，一秒後打開眼皮，聚焦在瑞佛斯，霎時之間面露欣喜，緊接而來的是恐懼。他伸出一手碰觸瑞佛斯的袖子。瑞佛斯心想，他是想確定我是眞人。一個動作暴露不少端倪。

同一隻手向下移動，觸摸手背。西弗里嚥一嚥口水，開始爬起來。「很高興見到你，」他說著伸出一手。「我本來還以爲——」他趕緊住嘴。「院方不會准你留下來的，」他說，微笑中帶著歉意。「我被禁止見客。」

「沒關係，院方知道我來見你。」

「大概是因爲你是醫生吧，」西弗里說著躺回枕頭。「他們不准奧特琳・莫瑞爾夫人進來。我聽見費雪夫人在走廊跟她講話。」

他的言行變了，瑞佛斯心想。多話而急躁，言語急促，而且兩眼直視瑞佛斯。西弗里以前幾乎沒有正眼看醫師的習慣，尤其是在見面之初。然而，西弗里似乎完全理性，而且他的改變仍在正常範圍之內。「爲什麼院方禁止你見客？」

「因爲星期天，大家全來了，羅斯、梅克姜、西托沃，還有，天啊，艾德華・馬緒，大家全在討論我的書，我好激動，結果——」他舉雙手摸額頭。「滋——。砰。我整晚睡不好，吵得大家也沒得睡，所以被趕來這一間。」

「昨晚怎樣？」

西弗里拉下臉。「不好。我一直在想，這場戰爭有多大，描寫起來多麼困難，生氣起來多麼無力，再怎麼生氣也沒用，根本無法忠實呈現整場場場悲劇，結果一輩子滿腦子想著前線的那一小塊區域，短短三十碼的沙袋就代表整場戰爭，對其他區域毫無概念。現在我想我能看見全部，看見大軍，訊號彈升空，幾百萬士兵。幾百萬，幾百萬。」

瑞佛斯等著。「你說你看得見？」

「對呀，自動在眼前展現。」雙臂畫著圓圈。「可以說是令人嘆為觀止，卻也很恐怖，我好害怕是因為缺乏托爾斯泰的文采寫不出來。」他握住瑞佛斯的一手。「我非見羅斯不可。其他人能不能來，我無所謂，不過你一定要替我爭取，讓我能見羅斯。他看起來好可憐，那場該死該死該死的審判。道格拉斯侯爵怎麼罵他，你知道嗎？『全倫敦雞姦犯之頭目』。而且是在證人席罵，所以羅斯沒辦法告他。」

「告不成，可能反而比較好。」

「而且啊，他被要求辭掉所有委員會的職務。他是主動請辭啦，可是委員會二話不說就接受。我非見他一面不可。排除別的理由不談，至少他能傳達書評給我。」

「是佳評吧，不是嗎？我最近常留意。」

「多數是。」

瑞佛斯微笑。「你寫的是引人爭議的東西，總不能指望獲得舉國一致讚美吧，西弗里？」

「不能嗎？」

兩人哈哈笑了一陣，瞬間一切顯得正常。接著，西弗里的臉色陰沉下來。「你知道嗎，我們蹲在法國的掩蔽坑裡，聊的東西竟然是審判的事？報紙印滿了那場審判的報導，讓我慶幸上戰場的事大概只有這一件吧。我的意思是，天啊，德國攻占馬恩，五千人淪爲戰俘，報紙上居然只寫誰跟誰上床，哪些人事後被恐嚇？天啊。」

「羅斯會客的事，我會替你想想辦法。」

「院方會聽你的話嗎？」

瑞佛斯猶豫著。「我想會的。」看樣子，西弗里不知他此行的身分是醫師。「頭傷怎樣？」

輕蔑之意攻心。「擦傷而已。我當初不應該讓軍方叫我歸建的。我對我家傭人講的最後一句話是什麼，你知道嗎？我說：『我很快就能回家。』『三個星期之後回來。』被車子載走之前，我這樣對他喊。結果，我讓自己被腐化。」

「腐化？用這詞形容，太沉重了吧？」

「我應該拒絕回國的。」

「西弗里，你拒絕的話，也沒人聽得進去。頭部受傷，不認眞看待不行。」

「可是，時機太湊巧了，你不覺得嗎？你在《國家》上讀到我的詩了嗎？〈我與死者同在〉。你一看就知道。呃，不對，是我被看到了，站在最高的樹枝上高歌著，砰！糟糕！對不起。沒中。」

「我慶幸沒中。」

西弗里岔開視線，神情落寞。「我可不慶幸。」

瑞佛斯不語。

「我覺得自己被截肢了。我不適合待在這裡。我見到這裡的一切……」一手揮向水果、鮮花、巧克力。「我只求能把所有東西裝進包裹，寄給他們。我的確寄了一臺留聲機給他們。後來我……病了。」

「我不瞭解的是，」瑞佛斯說，「你怎麼可能傷在那裡。」

「我當時是在無人地帶啊。」

「不對，我指的是，怎麼會傷在軍盔遮住的地方。」

「我把軍盔摘掉了。」尷尬的一陣沉默。「那天，德軍有點囂張，把機關槍推得太前面了，所以我們兩個衝出去投手榴彈……」他虛弱地微笑。「以奪回主導權。結果，手榴彈扔出去了，好像沒中——沒聽見慘叫聲，所以應該沒中——然後我們掉頭回去。這個時候，天色已經快亮了，我的心情好快樂。」欣喜之情溢於言表。「天哪，瑞佛斯，我有多快樂，說給你聽，你也不會相信。所以我站起來，摘掉鋼盔，轉身瞭望德軍的陣線，子彈就在這個時候打中我。」

瑞佛斯氣得不得了，自知非走不可。他走向窗前，茫然凝望馬路、欄杆、遠處夏日艷陽下閃亮的九曲湖。他心想，自己一直在欺騙自己，把這事當作是繁忙工作天裡的又一樁危機。怒火燒穿了假面具。「爲什麼？」他轉身對西弗里說。

「我想見見敵軍。」

「你的意思是，你想送命。」

「不對。」

「旭日東昇，你站在無人地帶中間，摘掉軍盔，轉身面對德軍的陣線，你竟敢說，你不是想去送命？」

西弗里搖搖頭。「我告訴過你了，我那時只是好快樂嘛。」

瑞佛斯深吸一口氣。他走回病床邊，暗叫自己展現一點專業的溫和態度。「你那時候很快樂？」

「對啊，多數時候都很快樂，主因大概是，我成功切除了痛恨戰爭的那一部分。」微微一笑。「爲《國家》寫詩的時候除外。我很……有一本書，我建議你讀讀看。我有空找出來給你。書裡說，決心一死的人必先揮別許多羈絆，所以就某種意義而言，等於是已經死了。而我呢，我當時已經決心一死。不然我拿得出什麼法子？可是，決心一死和送命是兩回事。只不過，兩者其實差不了多少。」他摸摸繃帶，遲疑一下。「我不得不說，我覺得英軍狙擊手的準頭有待加強。」

「英軍狙擊手？」

「對啊，他們沒告訴你嗎？開槍的人是我自己的士官。他以爲我是德軍，衝進無人地帶，嚷嚷著：『來呀，你這個王八蛋，』然後開槍打中我。」西弗里哈哈笑。「天啊，比他表情更驚恐的畫面，我可從來沒見過。」

瑞佛斯在床邊坐下。「以後不會再有更一髮千鈞的事了。」

「我以前有過。炸彈掉在一呎外。眞的。幸好沒爆炸。」西弗里陡然抽動一下。在其他病患身上，瑞佛斯見過同樣的現象無數次，已無震撼感。

「砲彈沒爆炸，不會讓人得彈震症吧？」西弗里問。

瑞佛斯低頭看自己的手。「我認爲那一顆可能造成了不少災情。」

西弗里望向窗戶。「告訴你，我有五、六個弟兄，包括喬韋特，快準備進行突襲了，瑞佛斯，**我的弟兄啊**，是我親手訓練的弟兄，我可不希望他們回營時看不到我。」

「他們不是你的弟兄了，西弗里。他們是別人的弟兄。你應該釋懷。」

「我辦不到。」

第十八章

瑞佛斯受邀與海德夫婦共進晚餐，抵達海德家，發現赫東夫妻與葛拉夫頓．艾略特．史密斯已經抵達。晚餐期間，瑞佛斯苦無機會與海德夫妻私下對談，因此瑞佛斯託詞留到最後才走。瑞佛斯偶爾會留下來聊些無傷大雅的閒話，心知他走後，夫妻倆必定會針砭他的過錯與弱點。瑞佛斯與他們的交情深厚，不會放在心上。

而他其實也沒心情聊八卦。等其他客人一走，瑞佛斯立刻向夫妻倆透露西弗里的事，同時不忘澄清個人對此事的觀感。

「你說他講得很興奮？」亨利．海德問。

「對。」

「躁症發作？」

「完全不是。不過，倒是有一點點……欣喜吧，有一兩次，特別是談到他受傷前一刻的心情。下午是他情緒最好的時段。據說夜裡的情況很差。我答應會再回去看他。對了，我該告辭了。」他站起來。「我不是在擔心。他不會有事的。」

「他是不是後悔歸建？」茹絲．海德問。

「我不知道，」瑞佛斯說。「我沒問。」

送走瑞佛斯後，亨利回客廳，發現茹絲凝望著爐火出神。

「也對，他不會問，對吧？」她望向亨利說。

「他也許認爲，問了也沒多大的用處。」亨利說著在爐火另一邊坐下。

伴侶之間長長的沉默。與客人交談太久，現在兩人都不願多談，也愜意得不願立刻就寢。

「妳知道嗎，他去年來看我，」亨利說，「幾乎像找我懇談。他爲了薩松的事滿激動的。」

「對，我曉得。我不知道的是，他找你談的是薩松的事。」

亨利遲疑著。「我認爲，瑞佛斯頓悟到自己用的是……專業技巧，來化解一個……無關醫藥的狀況。戰時的軍醫眞的很難想得出其他辦法。軍隊的需求和病人的需求兩者總是互相矛盾，不過以薩松的例子來說，這種矛盾非常尖銳。我基本是叫瑞佛斯別傻了。」

茹絲訝然一笑。「可憐的瑞佛斯。」

「妳誤會了，我是講眞的。」

「我相信你是，不過，對方如果是一般病患，你就不會那樣講。」

「我告訴他，薩松有能力爲自己打算，而且薩松的影響力大概不如他想的那麼深遠。我認爲瑞佛斯是……唉，我不知道。不是虛榮——」

「謹愼過度？」

「老實說，我認爲他是神經質。不過，在見過他之後，我見過很多病人，就不太確定了。有些人，一陣子沒見，就覺得跟不上他們的時代了，不是嗎？我認爲我跟瑞佛斯也有同樣的現象。他在蘇格蘭的那段期間變了。不知道怎麼的，他培養出一種強烈的影響力，也許能影響到所有人，不過他特別能影響年輕男人。那種影響力很神奇，他們肯爲他做任何事。甚至願意康復。」

「甚至願意歸建回法國？」

「對，我認爲是。」

茹絲輕輕聳肩。「我看不出他有什麼改變。不過話說回來，我懷疑他總是以不太一樣的一面來面對我。」她微笑。「我非常欣賞他，不過——」

「他也欣賞妳。」

「不過，我有時懷疑，我跟他怎麼可能彼此看得順眼。畢竟，你想想看我們新婚那年的情形。那一年，你每個週末前去劍橋，讓他對著你的手臂猛戳，我一整年沒機會跟你共度週末。」

「情形沒那麼糟糕啦。反正你們兩個後來相處融洽。」

「你認爲，他還以爲薩松歸建是爲了他嗎？」

亨利遲疑著。「我認爲他自知影響力有多大。」

「嗯，」茹絲說。「你認爲，瑞佛斯該不會愛上他了吧？」

「他是病人。」

茹絲微笑搖頭。「答非所問。」

亨利望著她。「對，沒錯，肯定是愛。」

西弗里在床上坐起來，睡衣脫掉了，臉與胸部汗珠晶瑩。對話到一半，他突然問瑞佛斯：「是房間熱嗎？或者是我的心理作用？」

「氣溫高。」

「我快被燒開了。坐在這裡，好像燜在燒水壺裡。」

瑞佛斯在床邊坐下。

「我寫了幾封信給葛雷夫斯。寫的是詩。你想不想看？」

瑞佛斯接下筆記本，讀到的是今天下午探病的過程，頓時心痛如絞，一時之間不得不僵成木頭人，以免失態。「這是你對我的看法嗎？」瑞佛斯終於說。「你認爲我逼你回法國，好讓你徹底崩潰？」

「對呀，」薩松愉悅地說。「不過，沒關係。我希望你逼我。瑞佛斯，你是我的外在良知，是聽我告解的神父。你現在可不能讓我失望喔，你一定要逼我歸建。」

瑞佛斯拿起詩，再讀一遍。「你不應該寄這一首。」

「爲什麼不行？花了好大的工夫才寫完哩。喔，我知道了，你覺得我不應該寫一堆讚美可愛阿兵哥的東西。哼，他們的確很可愛啊。你認爲葛雷夫斯會被這首詩嚇到。老實說，瑞佛斯，我才不在意，我現在僅存的樂趣不多，嚇嚇葛雷夫斯是一大樂事。有一次，我寫信給他，不是想嚇他，只是普普通通的一封信，可惜我犯了一個錯：一段興匆匆描寫軍中訓練，下一段卻大罵戰爭多可怕。結果回信怎麼寫，你猜？他把我訓了一頓，罵我前後不一致。尤其惡毒的是，他叫我別裝瘋賣傻嚇自己的朋友。我這輩子做過一件貫徹到底、思想完全正常的事，就是抗議這場戰爭，結果勸退我的人是誰？」

瑞佛斯心想，是葛雷夫斯。但不僅是葛雷夫斯。如今瑞佛斯得知，或許比當初更加明瞭，無論西弗里的反戰宣言的公開意義是什麼，私底下的涵義衍生自追求貫徹一致的努力，因爲這場戰爭加深他內心的鴻溝，產生危機感，他努力弭平內心的隔閡。

「千萬別怪罪葛雷夫斯。他的做法——」

「我不怪他，只是不想聽他說教。在戰場上，我之所以能存活，是因爲我能變成兩個人，有時候甚至在同一晚可以雙面並存。例如說，我和斯帝菲、喬韋特聊天——**喬韋特長得好美啊**——我會高談多想出去打仗，把他們激得士氣高昂，捶桌說，訓練夠了，上戰場的時刻到了。講完，我回自己房間，想到他們的年紀多輕。十九歲，瑞佛斯。**十九歲啊**。懵懂無知的年齡。唉，上帝啊，願他們活下來。」

西弗里倏然哭了起來。他以手背擦嘴，抽泣著說：「對不起。」

「沒關係。」

「我那種怪醫與海德的表演——你等一等，聽完再說——最後被我喊停了，你知道原因是什麼嗎？原因很好笑。那時候，我的副官換了一個，姓賓鐸。稀世珍寶啊。我第一次遇見他，他正在讀《反擊》，抬頭說：『你跟這個薩松是同一個人嗎？』我的天啊，瑞佛斯，問什麼傻話？不過我當然回答：『是。』不然怎麼回答？不過我認爲，情況開始急轉直下的癥結就在那次。」他的語氣顯著轉變。「從那時起，我才正視整個狀況多蠢。」

瑞佛斯面露疑惑。「什麼狀況？」

「我那套可悲的小配方。把自己弄回戰場的配方。」他改以娘娘腔說，「『人家我才不是回戰場殺人哩。我只是回去照顧幾個弟兄嘛。』」變回正常口吻：「你那時怎麼不踹我的頭，瑞佛斯？爲何不讓我早日脫離苦海？」

瑞佛斯強迫自己回答。「原因是，你一反省到那個道理，我擔心你就不會想歸建。」

瑞佛斯說了等於沒說。薩松繼續：「訓練手冊裡寫什麼，你非讀一讀不可。『指揮官必須下達過分的要求，不能體貼士兵。落隊者必須棄之不顧，不能因而延誤乘勝追擊，亦不得因傷兵而停止攻勢。』眞的是這樣寫的。各個是拋棄式的零件，可以相互置換。我那時想歸建，去『照顧』他們。」停頓幾秒。「我只想帶他們平安度過第一次出征，而我甚至連這點小事都辦不到。」

「賓鐸在戰場上。」瑞佛斯說得吞吞吐吐。

「喔，對，他很厲害。他是眞的很厲害。」

汗水布滿西弗里的臉與頸。「我開窗吧？」瑞佛斯問。

「麻煩你。院方老是關窗，不曉得爲什麼。」

瑞佛斯走過去開窗戶。西弗里在他背後說：「你不喜歡我那些可愛的阿兵哥，我很遺憾。」

「我沒說我不喜歡他們。我說，你不應該寄。」

「有一個特別可愛。」

「喬韋特。」瑞佛斯說。

「我針對喬韋特寫了一首詩。他永遠不會知道我寫的是他。他當時在睡覺，看起來像死了一樣。」一陣沉默。「說來眞奇怪，一個人怎麼會對沒血緣關係的人產生父愛呢？我指的是**純純**的父愛，不是藉長官的身分佔部下便宜，甚至連佔便宜的想法也沒有，可是心底卻有另一股春潮。我不認爲，這兩種情誼的存在不至於相互抵銷。我覺得，兩者絕對有可能並存而且相安無事。」

「對，」瑞佛斯說，挖苦之意微乎其微，「我想也是。」他走回床邊。「你剛提到『急轉直下』？」

「對，因爲我應戰的方式向來是，儘量不去思考殺敵的事，把那方面的事隔絕在念頭外，結果突然間，我不得不面對一個事實：戰場上其實只有一個我，也就是匈奴殺手——指揮官給我們的綽號。那種想法產生一種非常詭異的效果。我常想去外面巡邏，之類的動作。不過，我以前也常出去巡邏，因爲我老是在戰壕裡待不住。跟勇氣無關，我只是待不住。不過，我受傷那天，情況不一樣，因爲我出去不是想殺敵，甚至不是出去試煉膽量，不過倒是有一點試膽的成分在。我只是想出去看看。我想看看另一邊。我以前常對著潛望鏡看半天。戰場是一片玉米田。一片農牧業用地。有時候會看見德軍那邊飄起一陣煙，不過多數時候什麼也看不見。」停頓一陣，之後改以隨意的口吻：「有一次，我越界過去。跳進戰壕，走著，看見四個德軍站在機關槍旁邊，其中一個轉頭看見我。」

「後來呢？」

「沒事。我們只是對看。然後他決定告訴夥伴。而我決定走人。」

一陣緊繃的沉寂。

「我猜我應該斃了他。」西弗里說。

「他絕對是應該斃了你。」

「他可以藉口說他愣呆了。你知道嗎，瑞佛斯，醫生常鼓勵病人認識自己……正視自己的情感，我覺得這樣並不好，因爲上戰場的人最好是放空七情六慾。如果指望他們殺敵，就應該從小灌輸他們殺敵的觀念，應該訓練他們不要在意，因爲如果不這樣訓練的話……」西弗里握住瑞佛斯一手，握得好緊，臉孔因掩飾痛苦而扭曲。「太殘酷了。」

瑞佛斯與西弗里相談一個多小時，目前爲止，觸及的內容全可另覓合適的時刻討論。但談到此刻，西弗里的情緒開始激動，言語不順暢，點子衝擊著思緒，而思緒在蹣跚之餘極力跟進。他提起戰爭之浩大，以一己之頭腦不可能涵蓋戰爭的全部面向。一次又一次，他論及訓練弟兄殺敵的必要性，主張應從童年及早訓練，調教他們一心上戰場，萬萬不許他們質疑將來。言談之中，他難掩焦慮感，掛念喬韋特等弟兄即將進行突擊戰。他談得比手畫腳，詳細之至，有時看似他相信自己置身法國戰場上。

這些話全順著他，沒必要爭論。瑞佛斯費了三小時，總算安撫他的情緒，讓他就寢。即使在他呼吸沉穩下來之後，瑞佛斯仍繼續坐在床邊，唯恐縮手的動作會吵醒他。西弗里前臂上的長毛被燈光照到，瑞佛斯看著手毛，疲乏得無法清晰思考，回憶起他當年對海德做的豎毛反射實驗。每次海德閱讀某一首詩，手毛總會豎起來，這是德國人所謂的「聖顫」（holy shiver）現象。以海德而言，這種現象的起因是好詩；以瑞佛斯而言，起因是某個科學假設之美，是龐雜的事實當中冒出意料之外的和諧感，這種現象他碰到不只一次。最令瑞佛斯感興趣的是，人類受到最高境界的精神與心靈成就感動，反應居然與狗背毛直豎的反射作用相同。精細痛覺的根基建立在原始痛覺上，兩者關係密切，我們將這種說法奉之爲圭臬，持續認定此語能表達身心健全的狀態。然而，沒人知道我們爲何如此認定，畢竟多數人的生存之道是在心中培養兩相對立的狀態。

西弗里已進入熟睡狀態。瑞佛斯謹慎縮手回來，伸伸手指。室溫下降了，西弗里沒蓋被子。

瑞佛斯走向窗口，關窗之後駐足片刻，想爲西弗里的敘述整理出頭緒，但整理頭緒是不可能的事，幸虧大綱夠明確。面對戰爭，西弗里調適的方法是變成兩個人，一個是反戰和平詩人，另一個是嗜血而精實的連長。這種解離心態不算是一種病，因爲從個別心態得到的經驗能提供給另一個心態使用，而且不僅是相互提供運用：戰場軍官的體驗能在譜詩時提供原料，可以說是對創作供應彈藥。更重要的是，也許更模稜兩可的是，廝殺的體驗提供軍人反戰宣言裡的道德權威。難怪賓鐸平白的一個問句引發西弗里的危機。

瑞佛斯心想，話說回來，西弗里重返戰場後崩潰是遲早的事。他本著恨戰的心歸建，不願正視廝殺的事實，一旦血腥的事實鑽進腦海，他立刻覺得戰場難以忍受。這些狀況本可逆料到。確實也逆料到了。

黑夜將窗戶化爲一面黑鏡子。他的臉浮沉鏡中，背後是西弗里以及一張凌亂的空床。若說西弗里想解離的企圖失敗，瑞佛斯自己也是。醫學如中分的一張臉，一邊是介入，另一邊是保持客觀，他現在覺得難以在介入時保持客觀，難以頂著這種醫學原則來審視西弗里。然而，這是瑞佛斯自身的問題。西弗里永遠不必知曉。

天色仍暗。一股輕風吹動公園裡的黑樹。瑞佛斯脫掉靴子，爬上鄰床，不指望睡著，只想至少休息一下。他閉目養神。起初思緒繼續奔騰，幾乎與西弗里一樣活躍，前後連貫的程度也不比西弗里好。不知爲何，這狀況勾起美拉尼西亞群島的一件往事。他搭乘一艘往返小島之間的不定期貨輪，睡在甲板上。在這種船上，甲板上有一間有屋頂的小屋，裡面以長椅爲床，乘客的背部會睡出一道道垂直條紋。同船的乘客睡同一間，三教九流雜處。瑞佛斯記得一趟航程裡，同船人當中有一位年輕的聖公會牧師，無畏艱苦的客觀環境，毅然遵守聖潔原則，洗下半身時堅持不脫聖袍，瑞佛斯則是剝得赤條條，叫水手清洗甲板時順便拿水桶對他潑水。

那一趟另有一名乘客是貿易商人，以自稱席默斯．歐度德（Seamus O'Dowd）爲樂，空有愛爾蘭人的姓卻毫無一絲愛爾蘭腔。歐度德愛喝酒。晚餐後，在煙霧繚繞的雅座裡，他對著瑞佛斯的臉嗝著琴酒味與蛀牙臭氣，吹噓他從事運奴業的豐功偉業。他說他最初綁架土著去昆士蘭農場做工，現在則是直言拐騙。最近的一大謊言是誆稱女王覺得他們的生殖器官不雅（美拉尼西亞共治國無人敢對土著宣布維多利亞女王駕崩的消息），只要土著不穿衛生衣褲，遠在溫莎堡的女王便無法成眠。原因是，他有一次比平常醉得更兇，迷糊買下一批衛生衣褲賣不掉。

瑞佛斯記得，土著買了衛生衣褲之後戴在頭上。戰爭開打之後的第一個秋天，包頭土著成了美拉尼西亞的一大特色，隨處可見年輕裸男把衛生衣褲交纏在頭上，別有一番情趣，引起英國青年效法，紛紛頂著難看的頭飾滿街跑。

半睡半醒之間，瑞佛斯憶起機油味與椰乾味、擠在小屋裡熟睡的乘客此起彼落的鼾聲與咻聲、震得牙齒打顫的輪機引擎，以及奇異、熠耀、驚人的南半球星斗。懷舊之情爲何如潮水湧現？他苦思不得其解。或許聯想的關鍵在於他對雙面人的切身體驗，因爲在戰前，他確實嘗過分裂人格的滋味，感受與西弗里同樣深刻。原因不只是當年的他過著兩種不同的生活，一人是劍橋學者，另一人則周旋在傳教士與美拉尼西亞獵頭族之間，而是他在兩地是不同樣的人。他比較喜歡美拉尼西亞的那個自我。回國後，他試圖將美拉尼西亞的自我融入英國生活，卻徒然製造挫折與悲哀。或許有異於常理的是，雙重人格才是常態，試圖分割會引發危機。西弗里確有這種感想。

他以手肘撐起身子，望向西弗里，見到他面朝窗戶熟睡。也許懷舊之情突發的原因毫無神祕可言，不外乎是聽得見室友的呼吸聲，因而睡不著。與人同睡一間房的情況，是美拉尼西亞的瑞佛斯才遇得到的情形，英國的瑞佛斯一次也沒碰過。然而，呼吸聲起起落落，宛如浪拍船頭的韻律，具有舒緩身心的作用，因此，隨著天色漸明，瑞佛斯終於漸漸沉入夢鄉。

他醒來發現西弗里跪在床邊，窗戶開著，窗簾隨著微風搖曳，吟吟鳥語婉轉透入窗內。西弗里以略帶尷尬的口吻說：「我昨晚好像亂七八糟扯了一堆鬼話。」他的神情冷漠而疲憊，但態度鎮定。「大概是昨晚發燒了吧？」

瑞佛斯不應。

「總之，我現在好了，」西弗里說著，怯懦地伸出一隻手。「假如沒有你，我不知道怎麼辦才好。」

第十九章

一星期後，瑞佛斯坐在壁爐旁的扶手椅，感覺肢體疲憊至近乎享受肉慾的程度。這份感覺鮮少發生在他身上，因爲忙完一天回家，他最常感受的是刺激神經、使人急躁的情緒性的疲憊，這對睡眠的殺傷力極大。但他最近常搭飛機，而飛行總令他生理疲憊。此外，他見到西弗里變得鎮定快樂，比先前的狀況大有改進，只是離痊癒仍有一大段時日。

普萊爾是個問號。有約必赴的普萊爾居然失約了，瑞佛斯不知如何是好。他能做的事不多，只能寫封信表達仍願開導普萊爾的心意，但瑞佛斯也顧忌到，普萊爾曾暗示自己太依賴醫師，因此不願提筆。如果普萊爾決定斬斷依賴心，瑞佛斯也莫可奈何。普萊爾已遲到兩小時，想必今晚不會來了。

瑞佛斯仍在考慮採取行動之際，這時有人敲門，進來的是女傭。「有一位普萊爾先生想見你。」女傭語帶疑慮，因爲夜深了。「要不要我叫他——」

「不要，不要。請他上樓吧。」

即將出現的狀況不明，瑞佛斯自覺身心無法應付，卻照樣釦好制服，茫然尋找靴子。普萊爾上樓的腳步聲敏捷、輕盈，不像他平常的步伐。上次普萊爾來訪，氣喘非常嚴重，上到最後一層樓梯，幾度停下來喘息，進瑞佛斯房間時喘到幾乎講不出話。女傭一定是聽錯姓了，或者是——

普萊爾進房間，在門邊四下張望。

「你還好吧？」瑞佛斯問。

「對。還好。」他看時鐘一眼，似乎明瞭到時辰不早，理應稍作解釋。「我非見你一面不可。」

瑞佛斯向他揮手示意指向椅子，請他坐下，自己上前關門。

等普萊爾坐下之後，他說：「你的氣喘好了很多嘛。」

普萊爾深呼吸。試一試。他瞪大眼睛看瑞佛斯，點點頭。

「上次你來找我，提到你要去探監，」瑞佛斯說。「去看洛葡夫人。你去了嗎？」

普萊爾搖著頭，但瑞佛斯認爲並非代表他否認。最後普萊爾以顯著的齒擦音說：「我沒料到你會裝蒜。」

「裝什麼蒜？」瑞佛斯問。他等著，然後輕輕催促：「我裝什麼蒜？」

「裝得像你我認識。」

瑞佛斯合眼片刻，睜開眼睛時，看見普萊爾在奸笑。「我本來考慮說：『你應該是瑞佛斯醫師，對吧？』」

「假如我們不認識，你怎麼知道我姓什麼？」

「我旁聽。」普萊爾攤開雙手。「我旁聽。我們面對事實好了，別無選擇嘛，對吧？你怎麼受得了他，我不知道。我受不了他。讓他逍遙法外是個好辦法嗎？你確定嗎？」

「犯什麼法？」

「太囂張。」

「病患具有某些特權。」瑞佛斯挖苦說。

「喔，他生病了，是不是？」普萊爾的語氣積極，傾身向前。「告訴你，我眞的相信他的病情加深了。」

沉默許久。瑞佛斯雙手交握，托住下巴說：「你可不可以把『他』改成『我』？」

「抱歉，辦不到。」

普萊爾的敵意無庸置疑。瑞佛斯意識到，以前見過這種心境的普萊爾。在普萊爾初抵奎葛洛卡的幾星期，他的態度就是這樣子，陰柔之中夾帶殺氣。

「告訴你，事情其實滿單純的，」普萊爾繼續。「我們可以坐著清談哪個人稱代名詞比較合適，不然可以談正事。我認爲談正事比較重要。」

「我同意。」

「好。我想抽菸，你介意嗎？」

「我從來不介意，不是嗎？」

普萊爾拍拍制服的口袋。「我想宰了他，」他微笑說。「啊，搞錯了。沒事。」他舉起一包雪茄。「教育他成功了。雪茄被他丟掉好幾次。」

「你想談什麼事？」

咧嘴微笑。「咦，你應該有概念吧？」

「你說你『旁聽』，意思是，他知道的事，你全知道？」

「對。不過，我知道的事，他一件也不知道。問題是，沒有分得那麼清楚。有時候，即使他在場，我會看見他見不到的東西。」

「他沒留意到的東西？」

「不想注意到的東西，例如他恨史布拉葛。我是說，他有正當的理由討厭史布拉葛，不過他的恨意更深遠。他曉得這一點，而他也不知道爲什麼，即使事實擺在眼前也一樣。史布拉葛就像他父親。」比利．普萊爾說。

「像他自己的父親——像史布拉葛的父親？」

「不對。呃，他有可能像。我哪知道呢？我的意思是，像比利的父親。是眞的一模一樣，結果他自己卻看不見。」普萊爾歇口，因爲他察覺瑞佛斯的沉默有異，感到不解。「你懂我的意思嗎？」

「他的父親？」

「對。」

「你眞正想說的是，他不是你的父親？」

「他當然不是。他怎麼可能是？」

「怎麼可能不是？肉身總不可能憑空變出來吧。」

普萊爾的神態轉爲無情。「我出生在兩年前，生在法國的一個砲彈坑裡。我沒有父親。」

瑞佛斯覺得自己需要時間來思考。大概需要一整個星期的時間。他說：「我在奎葛洛卡遇見過普萊爾的父親。」

「對，我知道。」

「他提到他打過小比利。小比利常挨揍嗎？」

「不常。說來也奇怪。」

「你怎麼知道？」

「我告訴過你了。他知道的事，我全知道。」

「照這樣說，你能進出他的記憶庫？」

「對。」

「你也有自己的記憶庫？」

「沒錯。」

「爲什麼說『奇怪』？」

表情茫然。

「你剛說，父親不常打比利是怪事。」

「因爲，外人一看這對父子的關係，會直接聯想這小孩常挨揍，其實不然。有一次，比利的爸媽大吵一頓，他在樓上，下樓去勸架，被父親抱起來，丟向沙發，可惜父親體力不支，沙發沒丟中，害兒子撞牆。」普萊爾大笑。「比利再也不敢下樓勸架了。」

「所以他乖乖躺在床上，聽爸媽吵架。」

「不對，他會下床，坐在樓梯上聽。」

「他當時有什麼感覺？」

「我對感覺不拿手，瑞佛斯。你最好問他。」

「你是說，你不知道他當時的感覺？」

「生氣。他小時候常有這種舉動。」普萊爾握拳對著另一手的掌心猛捶。「豬、豬、豬、豬。然後，他會害怕起來。我想，他怕的是，如果太生氣了，會氣到下樓。所以他把視線固定在氣壓計，隔絕掉所有東西。」

「然後呢？」

「沒事。他不在場。」

「誰在場？」

普萊爾聳聳肩。「我不知道。某個滿不在乎的人。」

「不是你？」

「對，我告訴過你了——」

「你出生在砲彈坑裡。」停頓片刻。「你能敘述誕生過程嗎？」

大動作聳肩。「沒啥好敘述的。他受傷了，傷勢不嚴重，不過確實是受傷了。他自知非挺下去不可，卻沒辦法挺下去，於是我來了。」

飄忽不定的稚氣再度出現。「他挺不住，你爲什麼能？」

「我比較拿手。」

「哪一方面？」

「戰鬥。」

「你爲什麼比較拿手？」

「唉，看在上帝的份上——」

「我不是在隨便亂問。你不比他高，力氣不比他大，身手也不比他快……訓練也不比他精良。你怎麼可能比他好？說吧，你爲什麼比他好？」

「我不怕。」

「人人都有害怕的時候。」

「我不怕。而且我感覺不到痛。」

「瞭解。所以，你作戰受傷不痛？」

「對。」普萊爾瞇眼看著瑞佛斯。「你認爲我胡說八道，一個字也不相信，對不對？」

瑞佛斯狠不下心回答。

「**給我聽好**。」普萊爾猛抽一口雪茄，菸頭爆紅，接著以近乎隨手的動作，將雪茄菸頭壓進左手的掌心捻熄，靠向瑞佛斯，微笑說：「我不是在演戲，瑞佛斯。看我的瞳孔就知道，」他邊說邊扳開下眼瞼。

室內飄散著皮膚燒焦的氣味。

「現在，藍眼小男生可以重回你身邊了。」

一陣退縮的表情，近乎迷茫，宛如受到極度驚嚇，或如性高潮的起點。接著，轉瞬間，普萊爾痛得五官緊縮，牙齒不由自主地打顫。他舉起顫抖的一隻手，捧在胸前搖著。

「我這裡沒有止痛藥，」瑞佛斯說。「你最好喝這個。」

普萊爾接下白蘭地，伸出另一隻手，讓瑞佛斯完成包紮。「你不準備說出事情的經過嗎？」普萊爾說。

「你燙傷自己。」

「爲什麼？」

瑞佛斯嘆氣。「誇張表演失手了。」

瑞佛斯決定隱瞞普萊爾失去正常痛覺的現象。失去痛覺是歇斯底里症患者常見的病徵。普萊爾相信，意識的分身是一隻妖魔，與本尊全無共同之處，如果讓普萊爾知道他有歇斯底里的症狀，只會強化他這種觀念。

「他是怎麼樣的人？」普萊爾問。

「你是怎麼樣的人？故意作對。」

「粗暴嗎？」

「呃，對。**顯然是**，」瑞佛斯指著燙傷處說。

「不對，我問的是──」

「有沒有揮拳打我？沒有。」瑞佛斯微笑。「抱歉。」

「被你講成好像我**想**揍人。」

瑞佛斯深思著。「我認爲是的。」他說著以繃帶的兩端打結。

「**才不是**。我幹嘛想揍人？打人會製造混亂。」

「你知道嗎，比利，今晚眞正有意思的一點是，你來訪時呈現另一個狀態。耐人尋味的是，你處於另一個狀態時，照樣想依照約定赴約。」

「你剛才怎麼稱呼我？」

「比利。你介意嗎？我——」

「等一等，你以前沒有直呼我名字過。這是第一次。你知道嗎？你對薩松的稱呼是西弗里，對安德森的稱呼是拉爾夫。我前幾天留意到，你以『查爾斯』稱呼曼寧。對我，你總是喊『普萊爾』。氣急敗壞時喊『普萊爾先生』。」

「對不起，我——」慘了，瑞佛斯暗暗叫苦。普萊爾沉迷階級論，肯定會把這種稱呼曲解爲瞧不起人。也許是吧。一部分是。只不過，以姓稱呼他，主要原因是普萊爾習慣冷笑暗示。「我沒想到你會放在心上。」

「是啊，哼，你的知覺不太敏銳嘛。算了，不計較。」他站起來。「我該走了。」

「火車已經停班，你現在走不成了。何況，你現在不適合獨處。你最好在我這裡過夜。」

普萊爾遲疑一陣。「好吧。」

「我去幫你鋪床。」

瑞佛斯看著普萊爾就寢，然後回自己的房間，告誡自己時辰已晚，現在千萬不能試圖評估普萊爾的狀況。非等到明天早上不可。然而，不去思考普萊爾，殺傷力幾乎同樣大，因爲他進入半夢半醒的狀態，而他除了生病發燒之外，唯有在這種狀態裡，才有一般人那種視覺感應的能力。他在床上翻來覆去，對周遭環境幾乎渾然不覺，影像一個個飄過眼前。法國。坑洞、荒野泥地、枝幹殘缺的樹木。他清醒後，躺著看漆黑的前方，覺得有點好笑的是，自己認同病患，居然認同到了替他們做夢的地步。他聽見教堂鐘聲敲三下，然後沉回半睡狀態，見到一個可怕的地方，與人相關的生物無法存活的地方，四處也不見人蹤。他完全孤單，直到地表隆起，嗝出一團惡臭的蒸氣，泥巴開始移動，凝聚成堆，從地面爬起來，形成男人的身形，站在他面前，轉身，闊步邁向英國。他想喊，不對，方向錯了，嘴唇的動作令他清醒一半。但他再度沉入半睡狀態，再次見到泥巴聚集成人形，愈來愈快速，最後似乎整片夜景站滿了泥人，上下裡外全是法國北方的泥濘，別無他物，移動著醜陋的四肢，往家的方向前進。

日光流入臥房。瑞佛斯躺著回想夢境，然後將心思轉向昨晚。在漫遊狀態中（不只是漫遊），普萊爾自稱感覺不到疼痛，毫無畏懼，出生在砲彈坑中，沒有父親，出生之前舉目無親無友。

在痛懼交加的狀態中，無痛無懼是不可能的事，甚至是不正常。瑞佛斯自己也一度體驗過類似的狀態，當時他乘船前往托勒斯（Torres）海峽，身受曬傷，嚴重到腿皮焦黑，躺在雙桅帆船的甲板上，隨著浪打船身而東翻西滾，鹽水滲進破皮，疼痛持續不消，無助地嘔吐，站不起來，連坐著都有困難。後來，帆船的錨被拖動了，眼看就要發生船難。而在那段時間裡，瑞佛斯能移動自如，不吐了，也感覺不到痛，沒有恐懼。他只是冷靜行事，與其他乘客一樣，以避險爲目標。帆船靠岸，大家下船，他的腿又疼痛難耐，再次無法行走，被擔架抬上岸。頭幾天，他躺在病床上看病患，開藥方時，坐到地上，以挪動臀部的方式移向藥櫃，然後以同樣的方式回到病患身邊。他邊想邊暗笑，普萊爾聽見這段往事一定會很高興。**醫人者必先醫己**。

其他人也有過類似的經驗。有過死裡逃生經驗的人再遇險，即使腿斷了，照樣能跑。然而，在普萊爾開創的狀態中，無懼無痛的現象持續不間斷，被包裹起來，隔絕在正常意識之外，幾乎宛如他的理智捏造出一個替身戰士，以法國北方黏土塑造而成，而替身被他帶回家了。

瑞佛斯檢討前一夜，發現一種印象深深映在心底。在普萊爾的言行當中，持續彌漫一種孩子氣。普萊爾說，**他受傷了，傷勢不嚴重，不過確實是受傷了。他自知非挺下去不可，卻沒辦法挺下去，於是我來了**。於是我來了。單純至極。好像一個仍相信魔術的小孩。此外，回憶樓梯時：「**然後呢？**」「沒事。**他不在場**。」口氣如襁褓中的嬰孩，以爲閉眼就能變成隱形人。另外是那句狂言：**我沒有父親**。在成人的嗓音背後，想必另有一個叛逆的童音說，**他不是我爸嗎**？反正從這裡思考，好歹也是個開頭，他想不出其他東西了。

瑞佛斯以爲普萊爾不會起床吃早餐，但他一坐下，用餐室的門便打開，普萊爾走進來，一副垂頭喪氣的模樣，表情痛苦。瑞佛斯問：「你昨晚睡得好不好？」

「還好。睡了兩三個鐘頭。」

「我已經吩咐女傭再端一盤來。」

「沒關係，我不餓。」

「至少喝杯咖啡吧。你應該吃點東西。」

「好，謝了，不過我吃完後非走不可。」

「我倒希望你留下來。多住幾天。直到情況好轉。」

「我做夢也不敢叨擾你。」

「談什麼『叨擾』。」

「好吧，」普萊爾終於說。「謝謝你。」

女傭端第二盤進來。瑞佛斯看見普萊爾心無旁鶩地狼吞虎嚥，在心裡暗笑，自己則邊喝牛奶咖啡，一邊閱讀《泰晤士報》。「再過一個鐘頭，我要去醫院上班，」他等普萊爾吃完後說。「你現在覺得好多了嗎？」

兩人在辦公桌旁的椅子坐下，瑞佛斯說：「我想回溯到更久遠的年代。」

普萊爾點頭。他滿臉疲態，看似沒有回憶的力氣。

「你五歲那年住的房子，現在記得嗎？」

淡淡一笑。「記得。」

「記得樓梯最上面嗎？」

「記得。不難吧，瑞佛斯，多數人都記得。」

瑞佛斯微笑。「我不小心講了白癡話。你記得樓梯最上面有什麼東西嗎？」

「臥房。」

「不對，我指的是樓梯最上面的一階。」

「哪有東西？……咦，有。氣壓計。沒錯。指針永遠指向『變天』。我那時候不覺得好笑。」

「你記得氣壓計的其他特徵嗎？」

「不記得。」

「父親酒醉回家時，你在做什麼？」

「用棉被遮頭。」

「另外呢？」

「我有一次下樓。被他抛去撞牆。」

「傷得重不重？」

「瘀傷。他嚇壞了，哭了。」

「你後來敢不敢再下樓？」

「不敢。後來，我常常坐在樓梯最上面，一直罵豬、豬、豬、豬。」他作勢想握拳捶掌，旋即記起手心有燒傷。

「你怎麼坐？靠著欄杆嗎？」

「不是，我就坐在最上面一階。爸媽開始叫罵的時候，我會往下挪幾階。」

「氣壓計在你的哪一邊？」

「左邊。瑞佛斯，我希望你不是胡亂問一通。」

「可能問得出癥結。」

「氣壓計有點像玩具熊吧，我想。意思是，它像一個玩伴。」

「你能想像自己重回那裡嗎？」

「我說過，我——」

「你慢慢來。」

「好吧。」普萊爾閉眼，然後又睜開，一臉困惑。

「怎樣？」

「沒什麼。那個氣壓計被燈光照到。我家外面有一盞路燈……」他指向背後。「我想講的東西聽來徹底沒道理。我以前常進到照耀在玻璃上的燈光中。」

沉默許久。

「他們吵得太兇的時候。我不想待在那裡的時候。」

「然後怎麼了？你有沒有回床睡覺？」

「不然能幹嘛？喂，如果你想說病因的根源在五歲那年，你錯了。空白的現象最早在法國戰場出現，後來我進奎葛洛卡，情況好轉了一點，幾個月前又復發。跟氣壓計沒啥屁關係。」

無言。

「你講話啊，瑞佛斯。」

「我認爲有關係。我認爲，你在很小的時候，發現一種應付困境的對策。我認爲，你理解出一種方法，能讓自己進入神智恍惚的狀態。解離狀態。後來，在法國戰場上，你碰到那種無法忍受的高壓，把童年的對策翻出來應用。」

普萊爾搖搖頭。「你的意思是，空白的現象不是自然而然發生的，而是我有意促成的。」

「不是有意。」瑞佛斯等著。「自然而然發生的現象有哪些，你應該知道，例如勃然動怒，淚水嘩啦直流，做惡夢。在很多方面，人類的行爲像小孩。我想說的只是，你重新應用童年發明的一個辦法，不過那種辦法現在——」

「我進入照耀在玻璃上的光束中。」

瑞佛斯面露疑問。「對，你剛剛說過。」

「不對。我這次指的是在小酒館裡。空白的現象第一次發生在小酒館。在英國的第一次。那時候，陽光照到啤酒杯，我一直看。」普萊爾思考片刻。「吉米陣亡了，而……而大家卻在享福，我氣得一肚子火。我開始想像坦克衝進來，壓死他們。因爲想像太逼眞，所以我大概被自己嚇到。幾乎像眞的有坦克壓死人。」停頓許久。「你說這種現象是自我催眠？」

「我想一定是。差不多是。」

「所以說，如果我能自我催眠，叫自己回憶，理論上可以塡補記憶的空白部分。所有空白都能塡滿，因爲我會把往事全找回來。」

「照你那樣做，是不是好事，我不太確定。」

「不過，理論上可行。」

「條件是，你要能充分意識到過程。」

普萊爾思考得出神。「只記得就可以了嗎？」

「我不太懂你的意思。」

「如果我記得，就能治療空白的現象嗎？」

「我不認爲可以。我認爲，必經的過程應該是……認可的一刻。接受。換句話說，有一天你照鏡子，看見自己，忽然領悟到，對，這一個也是我。」

「可能很難吧。」

「難在哪裡？」

普萊爾噘起嘴皮。「即使在狀況最好的時候，我也覺得自己有些部分很難接受。」

虐待狂又出現了。「昨晚我見到、聽到的東西，沒有一件讓我相信……壞事可能正要發生。」

「也許只因為你不是他喜歡的那型。」

「『普萊爾先生。』」

不情願地微笑。「好吧。」

瑞佛斯站起來。「今天努力到這階段，應該可以了。你可別整天反芻這件事。也不要為了這事憂鬱。我們進步了不少。休息一下，對你的幫助比較大。來，你用得著這個。」瑞佛斯走向辦公桌，打開最上層的抽屜，取出一把鑰匙。「我會請傭人讓你進來。」

第二十章

普萊爾驚叫醒來，置身漆黑中，滿身汗，失去方向感，無法理解灰色方塊狀的窗戶爲何在右邊，而不是在床鋪對面。他已在瑞佛斯家借住兩星期，一覺醒來卻仍不記得人在何方。腳步聲接近他的門口。

「你沒事吧？」瑞佛斯問。

「進來。」普萊爾打開檯燈。「吵醒你了，不好意思。」

「你剛才大叫，我不知道出了什麼事。」

「對，我曉得，對不起。」

兩人互看著。普萊爾微笑。「此情此景像奎葛洛卡。」

「是啊，」瑞佛斯說。「這種情形太常出現了。」

「那時候你値夜班。好了，快回去睡覺吧。你需要休息。」

「你能再睡著嗎？」

「當然可以。我不會有事的。」他望著瑞佛斯的倦臉。「你當然應該再睡。走吧，趕快回床上。」

瑞佛斯走後帶上門，普萊爾這時想起，惡夢與邁克有關。他記不太清楚，只知道夢見一堆掙扎的動物與血腥味。瑞佛斯似乎認爲，夢境與戰爭脫鉤、夢見童年是好現象，但恐怖的成分不減，而且仍與戰爭脫不了關聯，他知道。瑞佛斯聲聲催他回溯兒時，焦點放在幼年期、父母吵架、內心的恐懼，以及夜坐樓梯上端傾聽叫罵、毆打聲，直到再也無法忍受，決定走開爲止。普萊爾仍記不起童年的空白期間發生什麼事，只不過他現在記得當年就有空白期，是很小的時候才有的現象。有一次，在走投無路的情況下，他問瑞佛斯如何看待他自己的空白期，如何面對自家樓梯上面的黑暗，但瑞佛斯一笑置之，繼續追問他。大家總認爲，瑞佛斯是個**個性溫和**的男人，但普萊爾有時懷疑「溫和」不恰當。「奮戰不懈」或許比較貼切。

但普萊爾今晚做的惡夢與父母吵架無關。今晚惡夢的關聯是邁克。他覺得奇怪，因爲記憶中含有邁克的往事多數是愉快的。

布滿砂石的一大片柏油地面。一棟低矮的建築，窗外圍著鐵絲網，蛋奶凍的香味與臭襪味。星期一上午，朝會剛結束，歌唱課，霍敦老師拿著手杖，邊走邊拍打著褲管，在座位之間來回走動，仔細聽誰走調。最近他的品味偏向傷感抒情曲，堅貞的摯愛是〈失落的和弦〉（The Lost Chord）。這段期間大約在童軍老師海爾士倡導手淫傷身論的前後。霍敦老師在鋼琴前坐下，以雄渾的男音高歌：

某日端坐風琴前，
倦意深，身心不安定。

普萊爾赫然爆笑一聲，另有一兩個同學也在竊笑，邁克則是捧腹狂笑。鋼琴聲嘎然停止。霍敦老師起立，把邁克叫到同學前面，請他與大家分享笑點。「笑什麼呢？」霍敦老師說。「講出來聽聽看，娛樂全班一下。」

「老師，我不認為你會覺得好笑。」（譯註：organ可作「器官」之解。）

邁克挨他的手杖一頓毒打。小普萊爾相信老師剛才也聽見他在笑，卻饒恕他，因為母親平日省吃儉用，總是把小普萊爾打扮得體面，襯衫熨燙平整，皮鞋擦得晶亮，看起來像能爭取到獎學金的那種男生。而他果然不負眾望，一部分的功勞要算在麥肯濟神父身上，感謝他在風琴演奏方面指導有方。霍敦老師猛揮著手杖，普萊爾暗罵著，**狗雜種**。

多年後，普萊爾目睹戰壕戰事之慘烈，仍暗罵著：**狗雜種**。

小普萊爾見邁克挨打，為邁克生氣，決心報復。假如挨打的人是普萊爾自己，他的火氣絕不會這麼旺。

霍敦老師的日常作息極為規律。晚餐休息時間結束鈴響前二十分鐘，老師總是準時穿越遊樂場，前往教師用廁所。學生都用報紙擦擦了事，他則在夾克裡塞一捲衛生紙，因此夾克的一邊鼓起，看似乳房。走過遊樂場時，他的步伐精準如行軍，喧鬧奔跑的男生幾乎沒注意到他。遊樂場上的笑話絕對不脫排泄物，但霍敦老師準時拉屎的笑話已經老到不好笑了。

有天晚餐期間，普萊爾派邁克去看得見學校正門的地方看守，自己則進門偵察。隔天，他與邁克溜進教師用廁所，躲進其中一間，鎖門。普萊爾擦亮一支火柴，點燃蠟燭芯，以雙手遮風，等燭火燒得更旺，然後滴蠟在一片方形的三合板上，把蠟燭黏在上面。

一分不差，霍敦老師進廁所，對反鎖的隔間感到困惑。「巴恩斯老師嗎？」

普萊爾模仿大人使盡力氣的嗯聲，讓霍敦不再多問。即使是發出便祕的嗯聲，他們也不敢嘻嘻笑，因爲霍敦老師的毒打可不是一件好笑的事。兩個男生靜靜躲著，感覺到彼此呼吸起伏。接著，普萊爾慢慢把黏著蠟燭的木板放進水溝。同一條水溝貫通這間廁所的所有隔間，蠟燭可從隔間板下面流向隔壁。燭火忽明忽暗一陣，隨後火苗再度向上直竄，穩定燃燒著。普萊爾輕推木板，蠟燭在黑水溝表面漂浮，流速比他預期快許多。邁克已經拉開門閂。兩人衝出廁所，奔越遊樂場，見到一群同學正在玩跳背遊戲（策畫過的），然後撲向纏鬥中的疊羅漢最上面。

在廁所隔間裡，燭火接觸到臀部。一陣驚痛嚎叫聲傳出來，緊接而來的是霍敦老師，東看西看，神態慌亂。他不必費心尋找做錯事的表情。現場有一兩百個男學生，不約而同轉頭看他，但因爲他總讓學生聞風喪膽，因此每張小臉全寫滿了罪惡感。此外，再怎麼說，師長的尊嚴損不得，他必須顧及老臉。就這樣，霍敦老師跛著腳，走過遊樂場，不再吭聲。

老師的背影一走，普萊爾與邁克悄悄繞過轉角，來到焦煤堆旁的禁區，一起狂跳著肅靜的凱旋之舞。

這件往事，我現在爲何記得這麼詳細？普萊爾自問。因爲我回想起的每一件友誼往事，形同一面擋箭牌，能抵擋荷娣朝我臉上吐的唾液。想起友誼往事，相當於宣稱，我當然不可能告密。現在令他訝異的是，探監過程中，碧蒂首度指出荷娣相信背叛邁克的人是他，當時他的感覺多麼冤枉，不經大腦直接說：「我沒有告密，」語氣斬釘截鐵，彷彿他能供出清醒時每一分每一秒的言行。一直到搭火車回倫敦的途中，他才逼自己接受，他確實有可能背叛了邁克。最低限度，普萊爾也無從否認。

從那天起，他從瑞佛斯那裡得知一項事實，心中因此充滿畏懼。他現在明瞭，在漫遊狀態中，他否認生父是他自己的父親。生父是誰，從生物學的角度來看，是單純的一項事實，他連這項事實都能否認了，對戰前的友誼更有可能矢口否認。瑞佛斯轉述他神遊狀態時的說法，表情明顯遲疑，而普萊爾的反應也比單純的排斥或否認來得更複雜。推說自己誕生在砲彈坑裡，無異於裝腔作勢的癡人說夢話。連我這種裝腔作勢的老手都覺得誇張，普萊爾挖苦自己。然而，隨便找一個去過法國戰場的弟兄，問他們，戰前戰後的普萊爾是不是同一個人？和家人記得的小普萊爾是不是同一個？壓倒性的多數——不對，應該是全體一致，全體一致說，他變了。大家即使有歧見，爭得也只是變化多寡而已。此外，大家有時會產生一種強烈的感覺，眞正重要的忠誠唯有一種，就是在戰場上建立的忠誠。法國北方皮卡第區域的黏土是一種強力膠。如果塗抹在良心逃兵的戰前友誼上，融解力是否同樣強？

在現在這種狀態，不會，他提醒自己。在這種狀態中，他爲了救碧蒂，不顧軍法審判的風險，抄寫了一堆對史布拉葛不利的文件。但話說回來，碧蒂終究是女人，不能上戰場。普萊爾的另一面可能比較無法容忍四肢健全的青年作怪。別人在前方奮戰，這些青年卻企圖阻撓軍工場供應成品，影響他人的生機。

但是，**邁克**啊，他心想。邁克。

他最後確實睡著了，三小時之後醒來，發現房間裡陽光普照。他睡眼惺忪地看手錶，然後伸手拿晨衣。瑞佛斯已經刮好鬍子，穿好衣服，坐在餐桌前，桌上仍有殘餚。「讓你多睡一點也好，」瑞佛斯說。「咖啡恐怕是涼了。」

「你回床睡得著嗎？」

「對。」

騙鬼，普萊爾暗罵。他邊喝冷咖啡，一面刮鬍子、著裝。瑞佛斯在辦公桌旁等著。普萊爾閃過一個念頭，想表現叛逆心，但他一看瑞佛斯，見到瑞佛斯臉上有疲態，心想，天啊，如果他能硬撐，我也辦得到。普萊爾坐下。從熟悉的這座位看去，光線落在瑞佛斯的臉上，看著看著，普萊爾意識到自己的心意已決。「我想去探望邁克。」他說。

瑞佛斯無言。普萊爾繼續說：「我在想，我一直沒改善的原因是……有一有一一道，唉，可惡。」他猛然仰頭。「有一道障礙，大概是和邁克有關的障礙。」

「從過去幾星期的行爲尋找一件事實，是不會改變任何狀況的。」

「我倒覺得有希望。」

又是久久一陣沉寂。瑞佛斯改變坐姿。「對，我看得出來。」

「雖然我看得出道理，我是說，我明白追根究柢的重要性何在，不過我現在也有必要過正常人的生活。回憶爸媽吵架的往事，只會讓我覺得自己像個終生無可救藥的神經質，讓我覺得這輩子將一事無成。」

「你大可不必操這個心，」瑞佛斯說。「全世界半數的正事都是無可救藥的神經質完成的。」

伴隨此言的是不由自主的一瞥，瑞佛斯望向辦公桌。普萊爾哈哈大笑。「要不要我幫忙？」

瑞佛斯微笑。「我考慮找的是達爾文。」

「去你的。你幹嘛不找我幫那個忙？」普萊爾問，指向桌上一疊紙。「你只是照著打字而已，對不對？沒有修改吧？」

「你的好意我心領了，不過，我的字太潦草，你一定看不懂。所以我才親自打字。連我的祕書也看不懂。」

「給我看一看。可以嗎?」普萊爾拿起一張。「瑞佛斯,這是圖像版的口吃,你知道嗎?我是說,你講不出來的話絕對也寫不出來。」

瑞佛斯以食指指著他。「你越來越厲害囉。」

普萊爾微笑。他表面上不費力氣,朗讀出其中一句:**由此可見,產生戰時神經官能症的常見因素是壓抑對上級的厭惡或失敬**。「照這樣看來,我是無藥可醫了,對不對?我看你還是別白費心力了。」他輕輕推瑞佛斯離座。「走吧,你去忙別的事。」

瑞佛斯搖搖頭。「你知道嗎,在你之前,沒人做過這種事。」

「突破規範,我很拿手。」

「是吹噓嗎?」

「不是。是恫嚇。」

瑞佛斯走過轉角之際,看見一名男子正離開薩松的病房,兩人在狹窄的走廊打照面,停下腳步。

「瑞佛斯醫師嗎?」

「是的。」

「我是勞伯·羅斯。」

兩人握手，寒暄幾句天氣之後，羅斯說：「我不知道西弗里有沒有談到未來的規畫？」

「我相信他有幾個規畫。他目前顯然不急著做任何事情。」

「高斯認為他能在戰爭文宣方面有所發揮。結果西弗里告訴他說，他符合這份工作的條件只有一個，就是他的頭受過傷。」

兩人哈哈笑一陣，因為同樣關愛西弗里而心心相印，然後互道再見。瑞佛斯對羅斯的印象是，羅斯本想說出某件事，想想之後卻作罷。

西弗里坐在床上，膝蓋上擺著一面寫字板。「剛才和羅斯聊天的人是你嗎？」

「對。」

「他有病容，對不對？」

比「病容」更嚴重。他看起來像在垂死邊緣。「跟他不熟，所以很難確定。」

「我下個星期見不到他，因為他要去鄉下。」

瑞佛斯在床邊坐下。

「我一直想寫信給歐文，」薩松說。「你記得歐文嗎？那個小不點。以前常在早餐室賣《九頭蛇》。」

「記得。他是布拉克的病患。」

「他寄給我一首詩，被我吹捧上天了，後來他逢人就現……」西弗里拉長臉。「除了我之外，沒人喜歡它。現在我再讀一遍，連我都不太確定。講一句老實話……」他說著把筆記本放在床頭櫃上，「我的判斷力退化了。而且不只是對歐文作品的判斷力。我自認做過一兩件好事，可是現在回首，根本沒啥了不起。事實上，我認爲我從奎葛洛卡出院之後，再也沒有做過好事。」

瑞佛斯謹愼地說：「你目前有這種想法，是因爲你情緒憂鬱。休息一陣子再說吧。」

「我憂鬱嗎？」

「你自己清楚。」

「我不知道現在人生的目的是什麼。反戰詩人，只不過是依賴戰爭的詩人嘛。瑞佛斯，我本來以爲，人間許多事物很簡單，而且……」停頓一陣。「艾德華．馬緒來看我了。他說他能幫我在軍火部安插工作。」

「你有什麼看法？」

「不知道。」

瑞佛斯點頭。「沒關係，你考慮的時間多的是。」

「我連自己會不會歸建都不曉得。」

「我會盡最大能力防止你歸建。這一次，我猜沒有人期望你歸建。」

「歸建回法國的事，我始終沒有後悔過，你知道嗎？一次也沒有。」他突然坐起來，雙手摟住膝蓋。「你知道我眞正想做什麼事嗎？我想去雪菲爾的工廠做工。」

「工廠？」

「對，有什麼不可以？我不想一輩子活在戰前的繭居裡。我想多看看一般人的生活。工人。」

「爲什麼想去雪菲爾？」

「因爲能接近艾德華・卡本特。」

沉默。

「爲什麼不行？」西弗里質問。「爲什麼不行？大家對我的期望，我一一都實踐了。你要我做的事，我每一件都做了。我屈服，我歸建。現在，我爲什麼不能做一做適合我的事情？」

「因爲你是現役軍人。」

「但是你自己說，沒人指望——」

「那跟『一般性退伍』是兩回事。我找不到一般性退伍的理由。」

「最後裁決的人是你嗎？」

「是的。」瑞佛斯站起來，走向窗戶。他原本希望這次能盡情發揮醫術，造福西弗里，不料如今西弗里又想出一套異想天開的構想，瑞佛斯不得不再阻撓他，因爲西弗里的這套構想又是抗議，只是與上次公開宣示相形之下，這次規模較小，比較私下，希望比較渺茫，但仍屬於一種抗議。

背後的西弗里說：「昨天公園有一場盛大的宴會。有樂隊演奏。」

瑞佛斯轉身望他。「當然，我忘了。八月四日。」

「好像是有一座追思陣亡將士的聖壇揭幕，或者是向戰爭致謝，我不清楚原因是什麼。有個單位叫做戰時紀念委員會，是羅斯被迫辭職的委員會之一。捐軀壯士豈能被一個雞姦犯褒揚？即使捐軀壯士自己也是雞姦犯也一樣。」

「你懷恨很深嘛。」

「你說得對，懷恨沒好處。如果是怒火的話，至少還能拿來騎乘。」西弗里舉雙手，做出騎師的動作，伸出食指握著韁繩。「恨有什麼用途呢？我不知道。大概沒用吧。」

瑞佛斯差點嘆氣，及時忍下來。「我有件事想說。算是自我辯護吧。如果以前任何一段時間，你對我說：『我是和平分子。我認定，在任何時刻、任何狀況下，殺人都不對』，那我……我不會認同你的觀點，我會逼你從各種角度立論闡述，不過到最後，我還是會盡全力協助你除役。」

「你不需要辯護。我告訴過你，我從來不後悔歸建。」

「可是，話說回來，你還需面對的事實是，你仍然是現役軍人。」瑞佛斯張嘴，看著西弗里，閉嘴。「天氣這麼棒，我覺得你不應該整天躺著。你趕快換衣服吧，我們一起出去走走。」

西弗里看著掛在門後的制服。「不要，多謝，我不想出去。」

「你住院到現在，從來沒換掉病患裝。」

「換裝會煞到女志工，我何必呢？」

「煞到？這話會不會太自負了？」

「事實勝於雄辯，瑞佛斯。」西弗里微笑。「人生的反諷何其多，這是比較小的一個。」

瑞佛斯走向病房另一邊，從門鉤上取下制服，拋向病床。「別拖拖拉拉了，西弗里。快穿上。總不能下半輩子都穿睡衣褲吧。」

「總不能下半輩子都穿軍服吧。」

「沒錯，不過，你得穿軍服打完這場戰爭。」

一時之間，西弗里露出拒絕的神態，但他隨後慢慢推開棉被下床。他的氣色很難看。蒼白。肌肉抽抽抖抖。疲憊。

「我們不必走太遠。」瑞佛斯說。

薩松慢吞吞穿起制服。

普萊爾想進監獄探望邁克，過程比預期來得輕鬆。普萊爾從軍火部離職前，順手帶走一疊軍火部用紙。然而，即使沒有官樣文具，只要他穿軍服，佩戴戰傷勳帶，積極表態有意拯救老友脫離和平主義的恥海，他就能獲准探監。

邁克坐在木板床上，雙手抱頭。

普萊爾說：「哈囉，邁克。」

手放下。邁克的外表……看似屢次與拘留所獄卒作對的囚犯。

「起立。」獄卒說。

「不用了，」普萊爾尖聲命令。「退下。」

獄卒顯得詫異，但他遵命退下，順手轟然關門，令普萊爾鬆一口氣。假如邁克拒絕敬禮，獄卒恐怕會抓住邁克的頭去撞牆半小時，這是普萊爾最怕的狀況。

「怎樣？」普萊爾說。

沒椅子。窗戶沒玻璃。桶子擺在門口看得見之處，飄出陳年尿騷味。而在普萊爾的背後……果然。門中眼。

「我沒料到你會來探監。」邁克說。邁克的語調與態度都不友善，但也沒有露出明顯的怨懟。也許，他像軍人一樣，已習慣承受沉重而不盡人情的打擊，容不下情緒。

「至少你有毛毯可蓋。」

毛毯下的邁克一絲不掛。即使在夏天，牢房裡依舊冰冷。

「因爲你來探監。你一走，毛毯就會不見。」

普萊爾坐在木板床的床尾，左右看看。

「威力最大的武器之一呀，」邁克以聊天的口吻說，「就是逼囚犯光著屁股走來走去。最苦的是，囚犯沒紙可擦屁股，這裡的伙食爛到銅猴子吃了會拉肚子。」他等著。「讓人類精神崩潰，屁眼的功勞很大，你知道嗎？」

「你看起來像被獄卒整慘了。」

「整？樂意奉陪。其中一個……」邁克舉起前臂。「把大毛巾掛在上面。」

「現在沒有了吧？」

「毒打？等我投降才停。」

床尾擺著一套摺疊整齊的軍服。

「我可以問你一件事嗎，比利？你們在戰壕裡，會談論戰爭的事嗎？我指的不是日常事務，不是運輸軍火之類的東西。我指的是『我們爲何而戰？』『打仗爲的是什麼？』」

「不會。既來之，則安之。」

「我也一樣。」

普萊爾的表情困惑。「你住單人牢房，找誰聊天？」

邁克微笑。「敲水管，打摩斯密碼。我信得過你吧？不會向指揮官告密吧？」

「當然。」

「『當然。』比利？」

「告密抓你的人不是我。」

邁克微笑搖頭。「想說這個，何必來探監呢？別來，不是比較省事嗎？我不懂。你只是想來看看自己的傑作嗎？」

普萊爾張嘴，想再一次否認，卻旋即合上嘴。「我有個東西給你。」普萊爾說，從制服口袋掏出兩條巧克力棒。他看著邁克的瞳孔擴張，接著轉爲無神。「對，我知道，被我摸過，所以污染了。」他以身體遮住邁克，不讓門中眼窺見，把巧克力棒遞給邁克。「但你非生存不可。」

邁克與普萊爾坐成一直線，以便躲避眼線，接下巧克力棒。「有道理。」

「最好趕快吃掉，不然會被搜身。」

「他們不會。搜身表示他們懷疑你的品格。你好歹是軍官兼紳士啊。不管了，我想我還是吃一點吧。」他以指甲劃破包裝紙，折斷一小塊，開始咀嚼，嘴巴與喉嚨的動作彆扭。由於長期飢餓過度，嚼食的行爲已進入隱私的範疇，與打手槍一樣見不得人。普萊爾想轉移視線，卻找不到值得看的東西，目光只能順著牢房轉一圈，回到邁克。

「往那邊走九步。往這邊走七步。我常走路。」

「你的刑期多久？」

「單人監嗎？九十天。再犯——我正有此意——再關。再服九十天。」

普萊爾低頭看自己的手。「不准通信？」

「對。」

邁克在嚼食的空檔擠出微笑。「比利，你爲什麼來探監？」

「想瞭解你的想法。」

「對你的想法？自我中心的小王八蛋。」

「對。」

「我本來不相信。利物浦的巡佐說是你。他提起你的名字。當時他踩著我的下體，所以，你應該能想像，可信度滿高的。我本來還是不相信，不過我越想越覺得是你告的密。」邁克專心說著話，卻也說得近乎漠不關心，彷彿他不在乎普萊爾是否聽得進去。也許開口講話僅僅爲了保住自尊心，爲的是岔開普萊爾的注意力，以利天大的要事——狼吞巧克力——順利進行。「後來我想到，對，他說過。你記得在牛舍的那天嗎？我問你，假如你在荷娣的炊具存放室發現一個逃兵，你會怎麼辦？你說：『舉報他。不然怎麼辦？』接著，我想起以前聽到的一個人和蛇的故事。有個男人發現一條半死不活的蛇，撿回家，餵蛇吃東西，照顧牠到恢復健康，然後放生。結果男人和蛇再碰面時，蛇竟然咬他。這條蛇是一種劇毒的蛇，他……他自知快沒命了，再嚥下最後一口氣的時候，他問：『爲什麼？我救你一命，餵你吃東西，照顧你，你爲什麼咬我？』蛇回答說：『你明明知道我是蛇啊。』」

沉默良久。普萊爾最後動了一動。「很動聽的故事。」

「媽的，好得不得了的故事。只不過……」

普萊爾等著。「只不過怎樣？」

「我現在可以貪心起來，全部吃掉嗎？」

「一定要。換了我，我就會。」

「我對你的恨，大概沒有你認爲的那麼深。我這話不是說我倆是拜把兄弟。老實說，如果我在戰後碰到你，我八成會想宰了你……」他微笑搖頭。「想救碧蒂，是幌子嗎？」

「不是，從頭到尾是眞的。」

「我有個心願，你知道是什麼嗎？我要你直直看著我的眼睛，以你那種貴族學校的假口音說對，報警抓你的人是我，我不覺得可恥。報警是我的責任。」

「我辦不到。」

邁克熱切望著他。「這樣，我更糊塗了。我以爲你終於理解自己站在哪一邊了哩。」

「屬於哪一邊，我從來不懷疑，」普萊爾舉起袖子。「佩戴這東西的人，多多少少都引以爲榮。」他站起來。「我是不會說對不起的。」

邁克抬頭看他。「那就別說。巧克力太貴重了，別再帶來。」

普萊爾敲敲門，不耐煩地等著獄卒過來開。他發現，門中眼必定在直盯他的皮帶扣環。他偷偷把指頭伸進孔裡，觸碰到涼涼的玻璃。塔伍斯的眼球，他回憶著。躺在他手心的那顆眼球當時是溫的。

獄卒來了，普萊爾回頭望一眼，跟隨獄卒走在鐵平臺上，然後下樓梯。在去接受瑞佛斯輔導之前，還有大半天待他消磨，但他慶幸有這段空檔。最初一波的困擾與痛苦應該單獨承受。邁克的說法是否屬實，他絲毫不懷疑——邁克沒有撒謊的原因。雖然他仍無背叛邁克的印象，但他確實是背叛了邁克。

他記得有一次，他對著瑞佛斯伸出顫抖的一隻手，口吃得語無倫次，敘述塔伍斯的眼珠握在他手裡的經過，說明那件往事成了他的護身符，隨時提醒他最應該對誰效忠。他說的全是眞話。然而，他無法辯證背叛邁克的正當性。即使他的分身恨邁克拒戰，恨邁克策動軍火工廠停擺，不變的事實仍是，安排與邁克相見的實質意義在於，他讓他從事一種安全的行爲——爲了碧蒂好。即使撇開孩提友誼不談，此事仍存在一份個人的許諾，在當前給予承諾，在當前受信任，在當前遭背叛。無論是爲了滿足邁克或安慰自我，他都無法說：「我盡的是我的職責。」整體而言，已發生的事件比這句話的道理更陰森，更複雜。

牢房外的空地正在操課。熟悉的叫罵聲、靴子踩踏聲、列隊一致行動的人體。在隊伍前面，一位良心逃兵被「勸進」——被獄卒拗成一個動作，然後再拗成另一個動作。「原地踏步」是獄卒站兩旁，對著中間的囚犯踹腳踝。獄卒毫不掩飾欺負囚犯之舉，不怕軍官旁觀，因爲獄卒認定軍官理當認同這種做法。

普萊爾看了一會兒，然後轉身離去。

第二十一章

一陣令人精神抖擻的微風拂過九曲湖，吹得玫瑰花亂顫，乾土地上的黃紅花瓣也隨風動搖，有幾片被吹過步道。瑞佛斯與薩松才在湖邊散步十五分鐘，薩松已有疲態。

「最近這幾天，我的狀況一直非常好，」他說。「早餐之前起床著裝。」

「很好。」

黃稠的日光斜射樹木，將樹影映在水面上。

「記得我說過理察．戴德的事嗎？」西弗里突然問。「他把自己的父親丟進九曲湖淹死。」

「對，」瑞佛斯說，等著他繼續，見西弗里無語，他才問：「要我趕快去抱樹求生嗎？」

西弗里微笑。「不是你啦。」

湖濱的摺疊椅空著，被風吹得匍匐爬行，但在背風的向陽岸，休假返鄉的軍人或坐或臥，與女伴卿卿我我，夏日洋裝在卡其軍服之間渲染著亮彩。一位身穿黑制服的女子出現在坡頂，開始往下蛇行，宛如一隻黑甲蟲在草地上奮力前進，情侶見狀趕緊分開，接近步道的一個女孩緊張地拉著裙罷。

「我甚至去過休息室，」西弗里說。「裡面的人在聊什麼話題，你知道嗎？休假返鄉注意到的變化有哪些，是好是壞。有人說，有啊，每次回家，女人的裙子變得更短。可惜，對我提供不了什麼慰藉。」

瑞佛斯止住嘆息的衝動。鬱與怨已在西弗里心中定形。若說他的氣色比住院之初好了一些，主因是憂鬱——只要尚未惡化至癡傻的程度——比欣喜更容易僞裝。他其實病得非常重。

「我不得不說，能離開倫敦，我一定會很高興，」西弗里繼續說。「你說的那間療養院，他們有進一步的消息嗎？」

「喔，有。他們願意收你。」

「那間是在……抱歉，你說過，我忘了地點。」

「在冷川鎮。靠近特韋德河畔柏立克。」

「是不是很靠近斯卡伯勒？因爲歐文的駐地在斯卡伯勒。」

「這個嘛，不能說很靠近，不過，同一天往返大概不成問題。」瑞佛斯遲疑著。「有一件事，我想你……可能會不高興。住進去之前，必須先經過醫評會審核。」

「對。」

西弗里語帶困惑。他住院的經驗多的是：訓練期間騎馬受傷、戰壕熱、戰傷、因「彈震症」住進奎葛洛卡、再度戰傷，因此他對住院的程序瞭若指掌。

「在奎葛洛卡審核。」瑞佛斯說。

因震驚而啞然。「不行。爲什麼在奎葛洛卡？」

「因爲你是我的病人。因爲我想擔任委員。」

西弗里無法接受。「我不能回那裡。」

「恐怕由不得你作主。西弗里，短短幾天而已。」

西弗里搖搖頭。「不能。你強人所難。」

前方幾碼外有一張無人的長椅，瑞佛斯坐下，示意西弗里也來。「難在哪裡，告訴我。」

薩松沉默不語，內心的掙扎寫在臉上。

「爲什麼不行？」瑞佛斯輕輕催促。

「因爲我一回去，表示我承認自己是他們那種人。」

瑞佛斯感到心中一陣怒火爆發，卻趕緊壓制住。「哪一種人？」

西弗里不吭聲。久久之後他說：「你明知故問。」

「是的，抱歉。墮落漢、瘋子、怠惰工、懦夫。」瑞佛斯等他回應，但他偏開頭。「告訴你好了，西弗里，有時候我……自責當初對你發揮太大的影響力了。那時候，你的心智脆弱，而且……可能比較需要的是獨處的機會，好讓你自行決定出路。」瑞佛斯搖頭。「我嘛，我不會再犯了。如果你仍然有那種想法，表示我對你一點影響也沒有。我沒辦法對你傳達一丁點的訊息。一丁點也沒有。」他望向湖面。風颳起一陣黑漣漪，猶如雞皮疙瘩在皮膚上擴散。「我們該回去了。」

「再等一下。」

「你非回奎葛洛卡不可。對不起，我會盡全力把流程縮短，不過你非走一趟不可。」

西弗里點點頭。他坐在長椅上，大手握住膝蓋。「好吧。不過，你懂我的意思嗎？我知道，你覺得我講的話很傷人，不過……我一回去，不只承認自己現在是那種人，也等於承認我始終都是。你難道不懂？」

「我懂。你講的是鬼話。總有一天，我會把你的住院報告抄一份給你看，上面寫著：『查無任何神經病變之身心跡象。』如果你認爲抗議算是一種症狀，內心因此煎熬，那你省省吧。不算症狀。抗議是對現狀做出的一種反應，完全合理、正常。」他停頓一下。「錯誤的反應，當然了。」

「我在法國戰場上，常把抗議當作是精神崩潰的現象，這樣比較容易調適。」

「謹記個人的信念反而更辛苦？」

「對。」西弗里低頭看手。「現在，我只覺得有人設下陷阱。」嘿嘿笑一聲。「不是你設的，我指的不是你。不過，陷阱一直都有，對不對？絕對是完整繞了一圈，等於是退回原點。不過更慘，因爲現在我的歸宿是那裡。」

「三天。我保證。」

西弗里站起來。「好吧。」

瑞佛斯繼續坐一會兒。他欲言又止的是，如果是陷阱，我也掉在裡面。但他說不出口。「好，」他邊說邊起身。「我們回去吧。」

普萊爾路過砲擊的災區，發現現場已經清理過，殘垣被運走了，人行道表面的白灰已清掃乾淨，缺口兩旁的民房也已經補強。一陣冷風咻咻颳過缺口，擾動枝椏，將垃圾捲進水溝裡的旋渦。豔陽照耀在缺口兩旁的窗戶上，將廣場另一端烤成火牆。

離約定的時間還早，普萊爾走走停停，留意到上次漏見的事物。上次是春天，天色昏暗，身邊人是查爾斯．曼寧。這次他注意到，許多房子外觀高雅，地下室的入口竟然髒亂不堪，簡直像齒齦泛黃的白牙。

他按曼寧家的門鈴，微微轉身，以爲會久等，但門幾乎在瞬間開啓，而且是由主人親自開門，動作之快速，想必他剛才在玄關徘徊。他或許顯得焦慮，但他的微笑，他整體的儀態，給人一種衝動而不拘小節的印象。

「沒關係，我已經開門了，」他轉頭對某人說，然後站開來，讓普萊爾入內。「你來了，我很高興。我本想等我們開始上班再敘，不過——」

「我不回去了。」普萊爾趕緊說。

「啊。」

客廳門開啓。防塵布不復見。

曼寧留意到他的視線。「喔，對了，進來看看。」

兩人進入客廳，空氣中有著家具亮光漆的氣息與玫瑰花香。

「看樣子，你請到建築工了，」普萊爾邊說邊望向門的上面。

「對。他給我的第一印象是不太牢靠，不過實際施工以後，做得倒還可以。起碼肉眼能辨識的地方還可以。」曼寧拍拍牆壁。「我隱隱懷疑，支撐石膏的是壁紙。」

瞪著裂縫消失的地方，不知不覺瞪太久，改看對方一眼，頓時不知所措。「過來坐下吧，」曼寧說。

一缽紅黃玫瑰擺在壁爐裡，取代原有的一團布滿煤灰的報紙。鏡子移走了。整間客廳重新布置過，變化之大，沙發背上那片硬邦邦的錦緞仍在，反讓人錯愕。普萊爾想起那天的情景，不禁伸縮著肩膀，感覺宛如肉體另有一座記憶庫，存在神經末梢，因爲硬邦邦直立的感覺誘發肉慾意識。他看著曼寧，心知曼寧也想起那一段互動。

「要不要來一杯？」

曼寧走向收納櫃。扶手椅旁的地上擺著一本書，攤開放著，面朝下，普萊爾走過去，撿起來，書名是《英國對潘波頓‧畢陵審判案》，完整記錄審判過程的證詞。曼寧怎麼會讀這種東西？曼寧端酒回來。「好看嗎？」普萊爾舉起書問。

「引人入勝，」曼寧說。「不讀還不知道當時怎麼會颳起歪風。我發現，審判期間，由於戰爭的死傷慘重，民眾神經痲痺了，再也無法反應，所以決定把整個戰爭視爲鬧劇一場。」

「我可不願花血汗錢買這一本。」

「不是我買的，」曼寧說著坐下。「有人寄給我的。對方是『祝福者』。」

普萊爾挑眉問：「眞的？」

「是啊。我最近跟那人有幾次小小的……交流。」

「史賓塞上尉來看過我們。」

「『我們』？」

「情報處。我認爲，一定有人告訴他，出庭被問的第一句話將是，他發現『大陰謀』時，是否曾通知政府相關單位。所以他忙著在倫敦到處通知。」普萊爾哈哈笑。

「他提起名單上有誰嗎？」

「那當然。」普萊爾望向他，看見一絲稍縱即逝的焦慮。「沒提到你。」

「我想也是。我不是大人物。勞伯．羅斯，有嗎？」

「嗯，有。」

曼寧點頭。「你說你不回去上班了？」

「想回去也沒位子坐。前幾天，我回去查看我的小隔間，結果……像船員離奇失蹤成鬼船的瑪麗．賽勒斯號。檔案全不見了。婁德少校也不見了。」

「他……」

「在威爾斯教候補軍官。他肯定樂歪了。」

「爲什麼？他是威爾斯人嗎？」

「我是在講反話。我認爲，他一定滿肚子不高興。至於史布拉葛，不知道你——」

「告密特工？」

「對。他走了——或者是正要走，我不確定。終點是南非。全部費用由別人負擔。」

曼寧遲疑著。「我……在想，你別認爲這件事讓你白忙一場。我把你的報告轉給艾德華．馬緒看……他其實滿欽佩的。跟我一樣。他認爲報告寫得……面面俱到。非常夠力。」

「或許是面面俱到吧，但絕對不夠力。她還被關在監獄裡。」

曼寧微笑。「重點是——」

落地窗突然唰地打開，一個臉頰胖嘟嘟的男童探頭進來，眨著眼，對著昏暗的客廳望。「爹地？」

「我在忙，羅柏，」曼寧轉頭說。「去找愛西。」

男童輕輕關窗離開，曼寧望著他，表情軟化不少。他對這棟房子與妻小的喜悅之情溢於言表，假如旁人懷疑他是否曾經後悔春初在空屋裡做的那件事，未免太粗線條了。當時曼寧的家充滿煤灰味與灰泥剝落的氣息，另一人的腳步聲跟隨他上樓，進女傭寢室。

「重點是，你把複雜的資料整理成簡潔的報告，是罕見的人才，正是我們這行業看重的才華。」

「哪一行？」

「衛生安全署。簡而言之，我想替你安排工作。」

「啊。」

「你考慮一下，也許會覺得合適，因爲這份工作基本上是保護勞工的權益。」

普萊爾不急著答覆。他本已心死——不完全是不情願——以爲非回斯卡伯勒不可，重新過著英國軍營那種無聊、不安適的生活。但換個角度來看，他明白曼寧給的是什麼樣的好差事。在英語中，「求之不得」的說法通常會以「不惜斷手斷腿，極力爭取」來形容。以現勢而言，這一類的人不在少數。「是瑞佛斯的意思嗎？」

「不是。」

普萊爾不確定是否相信他。「我非常感激，查爾斯，你可別以爲我沒有感恩的心，不過我恐怕無法接受。」

「爲什麼？」

「我的女友莎拉家住北部，如果我搬去斯卡伯勒，跟她見面比較方便。另外……女友是很重要的一個因素。另外呢……我不確定自己多想要一份閒缺。」

曼寧猶豫著。「這份工作確實有個非常大的好處——你幾乎不可能被送回戰場。只不過，我認為你也不太可能歸建。」

「那可不一定。」

「你的健康等級是多少？」

「A4。」

「太低了。」

「過兩個星期有個醫評會。」

「瑞佛斯不會准你歸建的。」

「這跟瑞佛斯沒關係。我從小就有氣喘病，第一次體檢還不是照樣過關。」

「如果你拜託他，他會寫信向醫評會關說。」

「我知道。事實上，瑞佛斯覺得我不適合歸建，他在這方面總能雄辯滔滔。重點是，我不會去拜託他。」

「你最近狀況怎樣？」

「好多了。」

曼寧把玩著酒杯。「你前一陣子的毛病是什麼？」

普萊爾微笑著，保持緘默的時間拖得稍微久一些，足以令曼寧因探人隱私而尷尬。然後普萊爾才回答：「記憶出現斷續空白。大概算是喪失意識吧。應該不會再發生了。」

「你知道自己在空白期間做什麼事嗎？」

「知道。」普萊爾又微笑。「每一件都是我本性想做的事。」

曼寧意識到，自己的好奇顯得近乎淫穢，於是趕緊修正表情。

「你呢？」普萊爾說。

「修復中。比我的預期來得更辛苦。」

「是瑞佛斯吧？喔，是他。」

「他呀，他活像拿鞭子抽奴工的工頭，不准你發牢騷。你一發牢騷，他就鞭策得更兇。」

兩人相視一笑，瑞佛斯的溫情點滴在心頭。接著曼寧說：「聽你的口氣，你好像眞的想歸建。」

「對，也算是吧。很奇怪，對不對？儘管不支持戰爭，儘管對將領沒信心，儘管堂而皇之的大話一堆，戰場照樣像是唯一乾淨的地方，令人嚮往。」

「對。天啊，你說的對。」

兩人對看著，領略到一股深切的理解，兩人關係的表象幾乎無法觸及這種深度。

「可惜，歸建不在我的考量範圍之內，」曼寧接著伸腿說。「不過，我能領會你的意思。」

「你覺得我們神經不正常嗎？」

「你我都住過瘋人院。」

「最好別讓瑞佛斯聽見。」普萊爾說。

「我哪敢亂講。那份工作，你有幾天的時間可以考慮，」曼寧說著放下酒杯。「我這幾天不會碰到馬緒。」

普萊爾搖頭微笑。「謝謝你的好意，我不想要。」

「你不怕會後悔？」

普萊爾笑笑。「查爾斯，如果我歸建——如果、如果、如果、如果我歸建的話，我會坐在掩蔽坑裡面，回想今天下午的對話，在心裡暗罵：『你這個天大的蠢蛋。』」

「好吧，」曼寧說著站起來。「我盡力了。」

來到玄關，一名女傭拿著普萊爾的帽子與手杖過來。普萊爾看她一眼：中年女傭的皮膚蠟黃，他猜她的歲數與母親相仿。他注視著女傭的制服，想起上次拿起這件制服的胳肢窩湊臉，嗅到辛勞、哀傷的氣息。曼寧正在講話，但普萊爾沒聽見。普萊爾轉頭對他說：「我想起來了。史賓塞另外提到幾個人名。」

曼寧語氣平和地說：「謝謝妳，艾莉絲，我送普萊爾先生就好。」

「邱吉爾和馬緒。」

曼寧訝然失聲。「**邱吉爾**？」

「是的。」

「這麼看來，史賓塞的腦筋的確不正常。」

「對，我當時一聽，也有相同的想法。」普萊爾走向門口，駐足。「史賓塞說，有一天，邱吉爾和馬緒拿著一束樺樹枝互相打屁股，打了一整個下午。」

「對。」

「對什麼對？」

「邱吉爾當時是內政大臣。」

「別賣關子。」

「那時候，成束的樺樹枝是新型的體罰工具。」曼寧顯得不耐煩。「詳細情形我不清楚，好像這種體罰工具引發爭議吧。好像有人認爲太殘忍。所以，邱吉爾和馬緒理所當然——」

「互相實驗看看。」

「對。」曼寧的表情轉爲強硬。「他們其實是在盡本分。」

「他們得到什麼樣的結論？」

「他們的共識好像是，他們在中小學挨過更痛的毒打。」

普萊爾點點頭，四下望一望，以確定旁無閒人，然後捧一捧曼寧胖嘟嘟的臉頰，輕輕拍一拍，對曼寧說：「願英國永在。」說完笑著奔下階梯。

作者後記

在此概述一九一七至一九一八年的簡史，或許有助於讀者瞭解本書延引的史實。

碧蒂．洛葡的故事概略依據一九一七年艾莉絲．維爾敦（Alice Wheeldon）的「毒箭陰謀」。維爾敦以買賣二手衣物爲業，家住德比的小巷，被控串謀毒殺首相勞合．喬治、亞瑟．韓德森等人。在暗殺首相一案，維爾敦被控企圖使用沾有南美劇毒的毒箭，審判證詞出自倫敦政府檔案館（Public Record Office, Chancery Lane），令外界有機會一窺堅決反戰人士流亡的祕辛，也可瞭解軍火部特工對付反戰分子的內幕。儘管維爾敦堅稱箭毒是買來毒殺拘留所的警衛犬，但根據線報提供的片面之詞，她仍遭判刑苦役十年。戰後維爾敦雖獲釋，但因入監飲食失調，再加上苦役與屢次絕食抗議，她在一九一九年去世。

席拉．羅布森（Sheila Rowbotham）發表的《艾莉絲．維爾敦之友》（*Friends of Alice Wheeldon*）一書（Pluto Press, 1986）裡包含一則實用的散文：〈第一次世界大戰期間的叛亂分子圈〉。

一九一八年元月，國會議員潘波頓．畢陵（Noel Pemberton Billing）自資自編的《帝國主義者》（後改名爲《義警隊》）刊載一篇〈首批四萬七千人〉，作者自稱是潘波頓・畢陵本人，其實是由哈洛・史賓塞（Harold Spencer）上尉執筆。史賓塞自稱，擔任英國特工期間，曾在「某位德國王侯」之暗室讀過黑皮書之內文。

同年四月，同一報刊又刊載一小段文章，標題爲〈陰蒂崇拜會〉，作者再度自稱潘波頓・畢陵，其實又由史賓塞代筆，暗示王爾德劇作《莎樂美》即將私演一場供會員欣賞，有許多會員的姓名出現在四萬七千人之中。擔綱演出莎樂美一角的茉德・艾倫控告潘波頓・畢陵毀謗，因爲該文明顯影射她是女同性戀者。

本案法官是高院法官達凌爵士（Lord Justice Darling）。潘波頓・畢陵擔任自己的辯護律師。由於法官在審判之初遭人指名是四萬七千人之一，因而失去法庭的主控權。

被告的王牌證人是史賓塞，不僅暢談唯有公象能滿足肥大、病態的陰蒂，更指稱阿斯奎斯（Asquith）的戰時內閣有多名大臣被德國收買，明指與茉德・艾倫巫山雲雨的人包括阿斯奎斯的夫人與一名德國特工，揪出多名德籍的英軍高官，更感嘆幾位指出上述事實的愛國人士遭放逐孤島，以潛水艇的鐵屑維生。

被告的另一位證人是艾爾夫烈・道格拉斯侯爵（譯註：Lord Alfred Douglas，王爾德生前的男友），抓住這機會報私仇，修理王爾德的摯友與文學遺產執行人勞伯・羅斯，誣蔑羅斯是「全倫敦雞姦犯之頭目」。

經過六天的法庭激戰與報刊炒作，潘波頓．畢陵贏得勝訴，民眾歡呼之餘將他扛上肩，帶至中央法院之外。

事後，在同一年，史賓塞被判定精神異常。

羅斯於十月五日因心臟衰竭逝世，享年四十九。

潘波頓．畢陵繼續在國會擔任議員，亨通政壇。

一九一七年，西弗里．薩松（1886-1967）發表反戰宣言之後，聽從友人羅伯特．葛雷夫斯勸告，接受醫評會審核，會中判定他精神崩潰，應前往愛丁堡的奎葛洛卡戰時醫院接受治療。薩松的主治醫師是皇家學會會員W．H．瑞佛斯（1864-1922）。瑞佛斯是知名神經學家兼社會人類學家。在奎葛洛卡，薩松領悟到，儘管反戰的觀點不變，他仍應肩挑軍官之責，重返戰場，至少能分擔弟兄的苦難。

薩松在巴勒斯坦逗留一陣子之後，於一九一八年五月九日回到法國戰場。七月十三日，他外出巡邏遲歸，遭直屬士官以步槍誤擊，頭皮擦傷，後送英國，住進蘭開斯特門區的美國婦女紅十字會。瑞佛斯前往探視，認爲他的心病嚴重，因而熬夜陪伴，整件事實採自凱瑟琳．瑞佛斯致茹絲．海德之信件（未出版之瑞佛斯家書，由皇家戰爭博物館收藏）。

就任內政部期間，邱吉爾與艾德華．馬緒盡忠職守的事跡記載於《藝文界贊助者：艾德華．馬緒傳》（朗文，1959），作者克理斯多佛．哈瑟爾（Christopher Hassall）。

導讀

你們認得我嗎？

王新元（英美文學研究者）

你們認得我嗎？如果總是這麼問，我們當然沒有自由。

這是《門中眼》（*The Eye in the Door*）（1993）對差異問題的詮釋。

其實，巴克（Pat Barker）的《重生》（*Regeneration*）（1991）早已為差異問題埋下伏筆。小說中，雖然薩松（Siegfried Sassoon）批評大戰缺乏正當理由，但他也一再澄清，即便他反對為戰爭而戰爭，他也無法苟同一味反戰的觀點。小說中，薩松要的是一個理由，一句讓歸建和殺戮都能理直氣壯的宣言。而在小說接近尾聲時，薩松發現，唯有顧及他對前線弟兄的愛，他才能認命返回前線作戰。《重生》中，薩松對同袍的愛，其實是最為禁忌的同性情愛。想當然耳，巴克筆下保守的英國社會，自然無法接受這樣的同性關係，而政府也害怕，那些理應保家衛國的英雄所終日掛念的，竟不是國家安全與公眾利益，反而是壕溝裡的同袍弟兄。因此，即使在《重生》的結尾，薩松決定歸建，但他歸建的理由，卻是英國政府與人民都難以接受的個人私慾。所幸，小說最後，薩松「誤打誤撞」的歸建，至少讓社會大眾無意追究他「與眾不同」的情慾想像。

然而，在《門中眼》裡，差異問題成爲故事的中心。小說中，艾倫（Maud Allan）演出王爾德（Oscar Wilde）劇作《莎樂美》（*Salome*）的消息，竟引起政府高度關切。這是因爲，《莎樂美》所牽涉的相關人士，身分相當敏感：王爾德是知名的同性戀作家，生前還曾因此入獄服刑；而安排這場演出的羅斯（Robert Ross），不但與王爾德關係匪淺，更高唱和平主義，在反戰人士的圈子裡非常活躍；而艾倫控告畢陵（Pemberton Billing）的案子，更是鬧得沸沸揚揚。

而正在此時，普萊爾（Billy Prior）被分派至軍火部服役，離開了奎葛洛卡戰時醫院（Craiglockhart War Hospital）。普萊爾任職的地方說是軍火部，倒不如說是軍方設置的祕密情報單位，負責跟監戰爭時期的異議分子，例如反戰人士與同性戀者。因此，講白了，普萊爾的身分就是軍方的情報員。然而，在倫敦的某個午後，普萊爾認識了軍官曼寧（Charles Manning）。和普萊爾一樣，負傷調職後方的曼寧也是瑞佛斯（W. H. R. Rivers）的病人之一。幾句簡單的交談後，很快地，兩個情慾難耐的男人，顧不得外頭的草木皆兵，便在曼寧的房子裡發生了關係。

可想而知，在這非常時期，特立獨行者必然惹禍上身。小說中的社會，顯然無法忍受所謂「脫序」行爲，也因此放任政府大行白色恐怖制裁，以防止異議分子的言行打擊英國軍民的士氣。例如，小說中，與普萊爾私交甚好的洛蔔（Beattie Roper），便是因爲曾經揚言毒殺英國首相勞合·喬治（David Lloyd George）而坐牢；同時，她的家人也因高舉反戰大旗而被捕入獄。戰時社會的一片肅殺，在此展露無疑。

而在諸多「脫序」行爲中，又以同性關係特別啓人疑竇。原先，普萊爾的卑微出身，以及他與洛葡的私交，早已對他十分不利。而現在，普萊爾又可能因爲與曼寧的同性關係，成爲政府嚴加控管的對象，也極有可能是不明人士口中，「**據我所知的首批四萬七千人**」之一（引自本書第167頁）。種種不利於普萊爾的現況，加上他不時發作的精神病症，普萊爾漸漸感到坐立難安。他甚至開始懷疑，自己是否曾在發病時，不小心出賣了反戰的友人。同時，普萊爾與告密者史布拉葛（Lionel Spragge）的不時巧遇，也讓他開始擔心自己早已遭人設計。

與普萊爾發生關係後，曼寧也變得疑神疑鬼，擔心自己的同性戀身分曝光。一開始，讓曼寧坐立難安的是一封不知名人士寄來的剪報。從剪報內容推測，該人想必知道曼寧與羅斯的私交甚好，也對曼寧將觀賞《莎樂美》一事知之甚詳。因此，曼寧擔心此人有意將他的性向公諸於世。此外，曼寧對普萊爾也是充滿疑慮，懷疑普萊爾是軍火部派出的間諜。種種揣測，讓曼寧不得不時時留心，政府對同性戀者的窮追猛打，並留意街上所見的一切人事物，以避開情報機關那全知的眼。

而這種種迫害，正是倚賴戰時偏頗狹隘的國族主義撐腰。我們若回顧英國歷史便知，小說中，同性戀者所受的迫害決非前所未有。小說背景下出現的國族主義，不過「適時」替那些爲「少數」感到不耐的社會大眾，找到一個打壓異己的藉口；當然，小說中，戰時的緊張氛圍，也可能讓許多人失去了理性。但若閱讀《門中眼》裡少數者的處境，我們將發現，國族主義作爲迫害少數者的說辭顯得非常牽強。小說中的異議分子，被逮捕的，便慘遭政府虐待與長期監禁，沒被逮著的，則要承受白色恐怖下，分裂的矛盾心理。而如此之苦難，想必非社會大眾所能輕易想像。

「**你站在哪一邊，你自己知道嗎？**」這是小說中洛葡要普萊爾想清楚的（引自本書第46頁）。然而，面對公與私交織的複雜網絡，普萊爾其實無權「知道」（或決定）他要「站在哪一邊」；而他唯一能做的，不就是承受這局面所帶來的困惑與難堪嗎（引自本書第46頁）？面對政治迫害，普萊爾要不就「**把自己弄瞎，省得以後再看見**」，概括承受社會的蠻橫與暴行，要不就得違背職責、鋌而走險，與體制決一死戰（引自本書第154頁）。這難道不是我們面對自身差異時的心境嗎？

荒謬的是，到了最後，所有人都對邊緣敬而遠之。心繫戰況的政府與社會大眾，藉由打擊邊緣分子，來提振整體士氣。所謂的少數者，則終日憂心自己落入邊緣的處境。小說以史蒂文森（Robert Louis Stevenson）的《化身博士》（*Strange Case of Dr Jekyll and Mr Hyde*），象徵少數者被迫遮掩差異的求生之道。諷刺的是，這種心態，其實也適用於小說中，那些打擊少數的右派道德家。《門中眼》裡的右派分子往往道貌岸然地指責少數者爲懦夫或淫穢之人，但他們用以批判少數者的言辭與手段，卻顯然與其自詡的正義形象不符。到了最後，故事中，誰敢說自己不是處於邊緣？小說中的道德家，又怎知自己恆爲正義之士呢？

你們認得我嗎？懂得不這麼問時，我們便擁有自由。因爲，這世界上，哪有什麼是我們「能夠」認同之事呢？一個自由的人，哪有反過來認同你們的道理呢？所謂自由，就是接受差異，不求別人苟同。

閱讀指南

閱讀《門中眼》

王新元（英美文學研究者）

巴克（Pat Barker）的《門中眼》（*The Eye in the Door*）（1993）批判戰時大眾心理與政治口號，是巴克一戰三部曲中主題十分獨特的一部*。小說開頭，普萊爾（Billy Prior）已轉至軍火部負責情報工作。儘管普萊爾出身寒微、他的性向也不爲當時社會接受，但一開始，普萊爾並未深思他所效忠的體制、也未察覺自己在社會中的處境。直到目睹白色恐怖橫行、政府開始管束異己，普萊爾才漸漸認清自己正是這社會所不容之人。更諷刺的是，在軍火部服役的普萊爾也可說是政府的打手、壓迫自己與他人的幫凶。面對如此矛盾的處境，普萊爾終變得疑神疑鬼、幾乎要精神崩潰。而除了普萊爾以外，小說中洛蔔（Beattie Roper）一家人的反戰立場、曼寧（Charles Manning）的同性慾望，也面臨政府整肅、控管。《門中眼》不僅描繪這些角色內心的恐懼，更要藉由他們的遭遇，批判政府的獨裁思維與暴力行徑。

文本討論

1.小說中，洛葡一家人因持反戰立場而受陷入獄。試問普萊爾與洛葡一家的關係爲何？普萊爾是否眞的出賣了洛葡一家？爲什麼？

2.小說形容同性關係時，措辭總顯得相當隱晦，可見戰時社會的一片肅殺。試問小說引用了哪些影射同性關係的歷史事件與文學作品？這些引用與小說情節發展有何關聯？

3.《門中眼》不只是小說的題名，也與小說主要情節相互呼應。試論書名《門中眼》可能的寓意？

延伸閱讀

Althusser, Louis. *Lenin and Philosophy and Other Essays*. Trans. Ben Brewster. New York: Monthly Review, 1971. Print.

Butler, Judith. Excitable Speech: *A Politics of the Performative*. New York: Routledge, 1996. Print.

---. *Gender Trouble: Feminism and the Subversion of Identity*. New York: Routledge, 1989. Print. Thinking Gender.

Clarke, Peter. *Hope and Glory: Britain 1900-1990*. London: Penguin, 1996. Print. The Penguin History of

Britain.

Foucault, Michel. *Discipline and Punish: The Birth of the Prison*. Trans. Alan Sheridan. New York: Pantheon, 1977. Print. Trans. of *Surveiller et punir: Naissance de la Prison*. Paris: Gallimard, 1975.

Hitchcock, Peter. "What Is Prior? Working-Class Masculinity in Pat Barker's Trilogy." *Genders* 35 (2002): n. pag. Web. 9 June 2014. <http://www.genders.org/g35/g35_hitchcock.html>.

Orwell, George. *Nineteen Eighty-Four*. New York: Harcourt, 1949. Print.

＊三部曲的另外兩本小說爲第一部曲《重生》（*Regeneration*）（1991）以及第三部曲《幽靈路》（*The Ghost Road*）（1995）。其中《幽靈路》曾獲頒一九九五年布克獎（Booker Prize），二〇〇八年更入圍最佳布克獎（The Best of the Booker）決選（shortlist）。

大師名作坊 133

門中眼

作　　者—派特·巴克
譯　　者—宋瑛堂
主　　編—嘉世強
編　　輯—黃嬿羽
美術設計—永真急制
責任企劃—林貞嫻
校　　對—陳錦生
董 事 長
總 經 理—趙政岷
總 編 輯—余宜芳
出 版 者—時報文化出版企業股份有限公司
10803台北市和平西路三段二四〇號四樓
發行專線—（〇二）二三〇六—六八四二
讀者服務專線—〇八〇〇—二三一—七〇五
（〇二）二三〇四—七一〇三
讀者服務傳真—（〇二）二三〇四—六八五八
郵撥—一九三四四七二四時報文化出版公司
信箱—台北郵政七九～九九信箱
時報悅讀網—http://www.readingtimes.com.tw
電子郵件信箱—liter@readingtimes.com.tw
法律顧問—理律法律事務所　陳長文律師、李念祖律師
印　　刷—勁達印刷有限公司
初版一刷—二〇一四年六月二十七日
定　　價—新台幣三五〇元
⊙行政院新聞局局版北市業字第八〇號

國家圖書館出版品預行編目（CIP）資料

門中眼 / 派特·巴克著；宋瑛堂譯. -- 初版. -- 臺北市：時報文化，2014.06
面；　公分. --（大師名作坊；133）
譯自：
ISBN 978-957-13-5980-9（平裝）

873.57　　　103009343

ISBN 978-957-13-5980-9
Printed in Taiwan